「異論の共存」戦略

分断を対話で乗り越える

装丁
岩瀬聡

まえがき

「超左翼おじさんの挑戦」——私が自分のブログに付けているタイトルだ。いまや絶滅危惧種と言われることさえあるが、私は疑いもなく左翼に属している。ただし、「超」が冒頭にあることに注目してほしい。従来型の「左翼」を乗り越えたいという願望があるのだ。

どう乗り越えようとしているかと言えば、ブログのサブタイトルを見れば分かってもらえるだろう。「保守リベラルからリアリスト左翼まで中翼（仲良く）」。右であれ左であれ、極端な人とは一線を画すけれども、ほとんどの人とは対話することが必要であり、仲良くしたいと思っている。さらには、その対話を通じて、ある程度の合意を形成することさえ可能だと感じているのだ。

そういう立場で活動を始めたのは、今から一四年前の二〇〇七年。『我、自衛隊を愛す故に、憲法9条を守る』（かもがわ出版、以下紹介する書籍の版元は断りのない限り同社）という本を企画、編集した頃からである。日本共産党で政策委員会安保外交部長という肩書きを付けてもらったこともある私が、退職後に満を持して挑戦した初仕事であった。それまで護憲派にとって異質のものと思われていた自衛隊と憲法九条を共存させる方向性を提示するのが、この本の企画意図であった。当時すでに左翼の退潮は明白であり、護憲の本など売れない時代に入っていた。そのなかで、この本は、「改憲派がやっている解釈改憲を正当化するもので欺瞞的だ」とか、「護憲の精神と理想を変質させるものだ」などの批判もあったが、幸い読者の反響は好意的で、版を重ねて七刷りとなっている。

左右が一致できる範囲の防衛政策と歴史認識を

護憲派を自認する私は、この〝成功〟に味を占めて、護憲の幅を広げることに注力してきた。ごく最近、企画・編集に携わった本のなかには、自民党の元幹事長である古賀誠氏の『憲法九条は世界遺産』がある。また、改憲派が自説の根拠とするもののなかにも首肯できるものがあるとの立場から、みずから『改憲的護憲論』（集英社新書）を執筆し、両派が批判しあうだけでなく対話することを呼びかけてきた。

同時に、別の分野にも手を広げている。主に二つの分野である。

一つは、「左右」が一致できる防衛政策を打ち出すことである。私自身二〇一三年、『憲法九条の軍事戦略』（平凡社新書）を上梓したが、その翌年に発足した「自衛隊を活かす会」（正式名称「自衛隊を活かす：21世紀の憲法と防衛を考える会」）で事務局長を務めている。代表は防衛官僚としてトップにまで登り詰めた柳澤協二氏である（最後は事務次官待遇である内閣官房副長官補として安全保障と危機管理を担当)。

「左右が一致できる防衛政策」といっても、世界中の悪をアメリカとともに打倒することが平和をもたらすという考えの人や、自衛隊の存在そのものが平和の障害だと考える人など、両翼のなかにともに存在する極端な考えの人には受け入れられないかもしれない。しかし、左右のほとんどが一致する防衛政策は可能だし、必要でもあると考え、元自衛隊幹部などを招いてすでに二〇回ほどのシンポジウムや研究会を開催し、日本防衛や国際秩序の構築のための政策についていくつかの「提言」も公表してきた。

もう一つは、歴史認識の分野において、左右が対話する枠組みを提示することである。この分野では、『慰安婦問題をこれで終わらせる。』(小学館、二〇一五年)を書いたことをきっかけに、いくつかの問題提起をしてきた。その過程で、小林よしのり氏とも対談するなど(週刊「東洋経済」)、実際に左右の対話を実現してきた。

この分野においては、日本の近現代史とりわけ侵略と植民地支配をめぐって、歴史学の正統な学説といわゆる歴史修正主義の間には、どうしても埋められない溝がある。それは承知しているが、世論のレベルで歴史修正主義が跋扈する現状は、従来の歴史学にも世論を納得させられない点で反省すべきことがあるし、歴史修正主義が人びとの心をつかんでいることからは学ぶこともあるのではないかというのが、私の問題意識であった。

異論にも聞くべき内容があるから

なぜこんな試みに挑戦してきたのか。現時点で振り返ってみても無謀だったと思うが、まず出発点は、九条を守りたいという人と、自衛隊をリスペクトするという人がいて、その両者が深刻な対立に陥っていることへの違和感があったからだ。

いま世界的な現象になっている「分断」は、日本では九条と自衛隊をめぐってずっと以前から存在してきた。戦力を否定した九条に違反して自衛隊が創設されたわけだから、護憲派が自衛隊を否定するという出発点は理解するし、その自衛隊がアメリカの戦略に深く組み込まれていることは大きな問題である。しかし、創設後の自衛隊が戦後一人も人を殺していないどころか、多くの人の命を救う役割を果たしてきたという、世界でも希有な存在になっている現実がある。それなのに、自衛隊を「人殺し」だとして自衛隊員を傷つける批判が、平和主義者を自認する人の口から発せられるのは悲しい。

一方、目の前で核兵器やミサイルを開発、配備する国があり、日本に敵対的な言辞を吐いている現状があるなかで、自衛隊の必要性を多くの国民が感じるのは自然なことである。そういう人々が、自衛隊を全面否定する護憲派の言動を見聞きするうちに、自衛隊のことを憲法で明記するのは当然ではないかと思うに至るのは、私なりに理解できることである。改憲を求める人々の多くも、護憲派がよく言うように「日本を戦争する国にしようとしている」わけではない。しかし他方で、九条が戦後日本をダメにしたとか、九条があるから他国に攻め込まれるという立場にまでなるなら、九条が果たしている役割を正確に捉えたことにならない。

いずれにせよ、九条を大事だと思っている人も、自衛隊をリスペクトしている人も、あるいは改憲を求める人も、日本が平和な国であってほしいということは共通しているのである。少なくとも、私の付き合いのある人は、みんなそうである。『我、自衛隊を愛す　故に、憲法9条を守る』が出版された当時、日本と世界の現実が変化するなかで、これらの異なった考え方を結びつける条件、可能性が生まれていた。ところが現実は、お互いが相手を憎んでいるように見える。もっとお互いをよく知ろうではないか、異論は共存できるのだ、日本戦後史で最大の分断を乗り越えようと、私は訴えたかったのだ。

慰安婦問題にも同じような構図が存在する。それを日本の犯罪だという人と、ただの娼婦だという人がいて、ずっと対立をくり返している。けれども、人権が侵害されることをよしとする人はほとんどいないのだから、お互いが相容れないことを主張しているように見えても、どこかに一致点があるはずなのだ。実際、後述するように、小林氏との対話においても、貴重な一致点を見いだすことができた。

左右が激しく対立する構図は、九条や歴史認識問題に限られておらず、政治にかかわるあらゆる分野に及んでいる。私のささやかな経験は、実を結んだと言えるにはほど遠いけれど、失敗も含めてあがいた記録は、なにがしかのものを日本社会に考えてもらうきっかけにならないだろうか。それが本書を書くことにした動機である。

分断され、敵意と悪意にあふれた世界は住みにくい

現在、世界でも日本でも、異論の排除と分断こそがトレンドだ。「異論の共存」を唱えるのは少数派である。

アメリカではトランプ前大統領が、大統領選挙を有利に闘おうとする思惑で、黒人差別に反対する運動への「銃撃」までほのめかすことで対立を煽った。選挙が終わってからも、敗北を暴力でくつがえすため、露骨な扇動を行った。トランプ氏が再選されなかったのは希望をもたらしたが、分断が克服されるには至っていないのが現状である。

日本においても、安倍前首相のかつての「こんな人たちに負けるわけにはいかない」発言に見られるように、国民を敵と味方に分ける思考がまかり通っている。国民だけではない。アメリカは味方で韓国や中国は敵だというのが、いまや世論の大勢のようになっている。さらに言えば、敵と味方を峻別する思考は、自民党政治に反対する側においても、あまり変わ

らない。そういうやり方のほうが、支持者を興奮させ、活動に力を与えていくのだろう。
こうした世界では、「異論の共存」などという考え方は、中途半端で弱々しく映るに違いない。私のような立場は、どちらの側からも「敵」とみなされ、相手にされない可能性だってあるだろう。

しかし、異なる考え方に対する敵意、悪意があふれかえる世界は、その考え方を信奉する人々には心地よくても、穏やかな暮らしを望む人にとっては住みにくい世の中である。誰かに悪罵をくわえて居酒屋で盛り上がる様は楽しいものではなく、そんな世界に私は住みたくない。対立する立場であっても、真摯に対話することができれば、何らかの有益なものが生み出せるというのが、私のささやかな経験から来る確信である。

なお、本書の最後には、私が産経新聞デジタル版のオピニオンサイト（iRONNA）に寄稿した二〇近い論考のなかから三つを掲載している（タイトル等の一部は修正）。百田尚樹氏の『日本国紀』批判、現代的なコミュニズム待望論、北朝鮮の核・ミサイル問題への考察である（北朝鮮問題は産経新聞本紙に転載された要約版も掲載）。一応は左翼であることを隠していない私に寄稿の依頼が来るなど考えもしなかったが、「デジタル版は異論を掲載するリベラルな立場だ」と説得され、サイトの名称自体も「いろんな」と読めて「異論」を前提としたものであるので、寄稿させてもらうことにした。産経新聞系列というだけで毛嫌いする人もいるが、百田氏への批判やコミュニズム待望論さえ載せるようになっているのである。実際、何か検閲されることもなく、自由に書かせてもらってきた。

残念なことに、iRONNAは今年三月で閉鎖されてしまった。コロナ禍での広告収入の激減を背景にした選択と集中の政策下では、右派からの「異論の共存」戦略は割に合わないという判断なのだろうか。終刊にあたって編集部から届いたメールには、「イデオロギーに偏らず、あらゆる言論を排除しないiRONNAに誇りを持って編集してきました」とあった。右派からの試みが途絶えるならば、それに倍する「誇り」をもって、左派からの挑戦を続け成果を生み出したい。

「異論の共存」戦略

分断を対話で乗り越える

目次

3

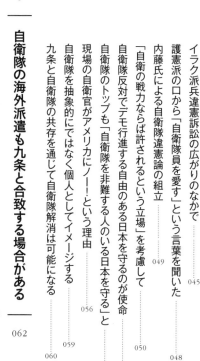

自衛隊の海外派遣も九条と合致する場合がある

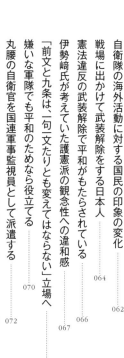

第二章　左右が一致する防衛問題の政策と法律をつくる

第三章 歴史認識でも左右の対話と合意が不可欠な理由

終章 立場の違う人びとが対話するということ

補章　産経新聞デジタル・iRONNAへの投稿から

あとがき

「異論の共存」戦略

分断を対話で乗り越える

第一章

九条と自衛隊が共存する時代

改憲論議は終わった

二〇一六年六月八日、私は日本記者クラブの大ホールにいて、参加者席ではなく生まれてはじめて登壇者の席に座っていた。「護憲か、改憲か？ 四人の論客の『憲法九条案』を比較する」と題した討論会である。

「四人」とは私以外に、護憲的改憲論の立場に立つ伊勢﨑賢治氏（東京外国語大学教授）、九条を憲法から削除することを提起する井上達夫氏（東京大学教授）、バリバリの改憲派である長谷川三千子氏（埼玉大学名誉教授）の各氏。私を除くと、そうそうたるメンバーだ。

そんな場に出るよう私に電話をかけてきたのは、主催者である日本報道検証機構の楊井人文氏（もう一つの主催者はJapan In-depth）。改憲派と護憲派の討論会を計画しているので、護憲派の代表として出席してほしいというのだ。

びっくり仰天とはこのことだ。自分が護憲派であることは疑っていないが、護憲派を代表できるとは思ってもいない。護憲派の代表と呼べるのは、九条と自衛隊の共存を主張している私のような人物ではなく、自衛隊を違憲だとして解体をめざしている人だというのが常識である。しかし、そういう人びと十数人にあたったのだが、理由はさまざまにしても、すべて断られたというのだ。

正直に言えば、気は重かった。防衛省や自衛隊の幹部だった方々とも交流を深め、他の護憲派と比べれば、立場の違う人との交流は進めてきたつもりである。それでも、代表的な改憲派と渡り合えるだろうかという不安が募る。しかし、憲法問題が国民のなかで議論になっているというのに、改憲派と護憲派が顔をつきあわせて議論しないのはおかしいし、護憲派が誰も出ないというなら自分が出るしかないという気持だった。

別にこの議論で「勝った」とは思わないし、そもそも勝敗を論じるようなイベントでもなかった。ただ、護憲派にも改憲派との議論に応じる人がいたという、そんな事実を残せたことだけは良かったと感じる。このイベントのあと、井上達夫氏と小林よしのり氏が対談し、それが本になっているが（『ザ・議論』毎日新聞出版）、井上氏は、「（いろいろな討論企画から）ほとんどの憲法学者は逃げたんですよ。逃げなかったのは学者で木村草太さんと弁護士の伊藤真さんくらいです。法律家以外なら共産党の松竹（伸幸）さんかな。彼らの議論の欺瞞性を私は厳しく批判したけど、論戦に応じただけまし」と述べておられるからだ。護憲派とは改憲派との議論を避ける勢力であると世論からみなされてしまったら、それだけで護憲派の信頼性に疑問符が付いてしまうではないか。なお、井上さんに誤解があるのだろうが、「共産党の松竹さん」と言われるほど、共産党を代表する資格は私にはない。

こうして改憲派と護憲派の討論会は開かれた。しかし、あれだけの有名人が集まったのに、おそらくほとんどの方はその事実を知らないだろうし、そもそもこのイベントに限らず、安倍晋三首相（当時）が執念を燃やした改憲論議そのものが盛り上がりに欠けた。そして結局、改憲問題は一ミリも動かないまま安倍氏は退陣し、議論は収束することになったのである。

現時点で、改憲派はなお改憲をめざしていると述べているし、護憲派も改憲策動は続いていると強調するが、それらは建前に過ぎない。改憲の旗を掲げて国政選挙で連戦連勝し、改憲に必要な国会議席の三分の二を確保した安倍氏のもとで動かなかったのだから、改憲など夢のまた夢である。

では、安倍氏の改憲とは何だったのか、どんな意味があり、何を課題として残したのか。その問題から論じていきたい。

1 安倍「加憲」案が頓挫したことの意味

二〇一七年、安倍氏が首相としていわゆる「加憲」案を提示したとき、護憲派の私はかなり焦っていた。護憲派による自衛隊の語り方に大きな変化を感じ取ったからである。

「軍」の保持から一転して

私は、護憲に関する本をいくつか執筆していることもあり、九条の会の催しに招かれることがある。大江健三郎氏や澤地久枝氏など九名が呼びかけ人となり、二〇〇四年に結成された護憲派の団体であり、全国各地に地方ごとの会がある。私は、自衛隊を憲法九条と共存すべきものとみなしており、従来型の護憲派からは一線を画されているが、九条の会それ自体は自衛隊を否定するような方針を出しておらず、筆者のようなものでも、偶にではあるが招かれる場合があるのだ。そのささやかな体験からも、安倍氏の加憲案が出た以降の護憲派の変化は顕著であった。

加憲案が出される以前、自民党が提示していた改憲案は、野党に転落した時代につくったものであった。保守野党らしく突っ張ったもので、天皇は元首であると明記し、権利だけでなく義務も大事だとして基本的人権を後退させ、前文も含め現行憲法を全面的に改正しようとしていた。九条についてみても、改正しやすさよりも保守としての原理原則を重視し、戦力の不保持を規定した第二項を削除し、「国防軍」の保持を明記しようとするものであった。自衛隊を国防軍に変えるという案である。細かいことを言いだせば、「自衛」も「国防」も大きく変わるものではないという見方も可能であったが、なにしろ「軍」の保持であるから、印象からして違っている。護憲派のなかには、軍であれ隊であれ軍事的なものはすべて等しく忌避する人も多いのだが、そういう人にとっても重大な変化であるように思えた。ましてや、専守防衛の自衛隊ならOKと感じていた護憲派にとっては、まさに自衛隊が変質することであった。その結果、護憲派は、自衛隊に対する評価の違いを超えて危機感を共有し、国防軍反対で一致することができたのである。

しかも、二〇一五年に成立した新安保法制に反対する闘いは、憲法の制約によって認められてこなかった集団的自衛権容認に踏み込むものだったから、大きな広がりを見せた。そのなかには、個別的自衛権と専守防衛を大事なことと考える自衛官や、自衛隊を大事だと思う人々も多く含まれていた。自衛隊を否定する護憲派とそういう人びととの協力関係も構築されたのである。

九条と自衛隊の共存のように見えた安倍加憲案

ところが、安倍氏が出してきた加憲案は、九条の一項、二項はそのままで、自衛隊の存在を別箇所に書き込むというものであった。この時期、私はいろいろな方から、「加憲案は九条と自衛隊の共存そのものですね」「松竹さんの考え方と同じではないですか」という質問をよく受けることになる。加憲案は、一方では九条が変わることへの国民の不安に応え、他方では国民多数がリスペクトする自衛隊は明記するという、改憲を成功させるとすればこれしかないという究極の案だったのだ。

これが護憲派の分裂を引き起こすことになった。加憲案に反対するということは、自衛隊を明記することに反対するのだから、その自衛隊を肯定的に評価していては反対の論拠を立てにくい。自衛隊を明記してはならない理由を述べようと思うと、自衛隊を否定的に評価しないと説得力を持たないと考える護憲派が増え、自衛隊の問題点を探り出し、「こんなに問題のある自衛隊だから明記してはならない」と主張する傾向が生まれた。自衛隊にはもはや専守防衛の要素は残っていないとか、戦前の日本軍の体質を引きずっているとか、国民に銃を向けるような体質があるとか、いじめと人権侵害が蔓延していて防衛を任せられないとか等々、自衛隊を救いのない組織として描くことによって、護憲への支持を広げようとする流れが強まったのである。

しかし、そこで描かれる自衛隊像は、現実とは大きな乖離があるので（乖離であってそういう現実がないとは言わない）、国民を納得させるものにはならない。自衛隊を否定的に描くことが護憲派の主流となるようでは、専守防衛の自衛隊をリスペクトする人びとと護憲派との共闘関係がせっかく築かれたばかりなのに、それも維持できなくなる。安倍氏の狙いもそこにあっただろう。だからこそ私はそこに危機感を抱いたのであった。

けれども、加憲案は国会で公式に議論されることすらなかった。改憲派は、議論に応じない野党に漫罵を加えたが、世論がそれに同調することもなかった。それは、なぜなのか。

一つには、改憲の必要性を示せなかったことだ。改憲を国民多数の意思にしようとすれば、改憲しなければ日本の国益が維持できないとか、国民の生命と財産を守れないとか、何らかの大義が必要である。国民投票にかけて賛成、反対の議論を起こし、国民の間に分断が生まれても改憲するというのだから、少し変化がある程度のことでは世論は納得しない。

ところが、加憲案というのは、九条と自衛隊の現状を肯定する国民世論をなぞるようなものであり、安倍氏自身も、「一項、二項を残すということでありますから、当然今まで受けていた憲法上の制約は残る」（二〇一七年五月九日、参議院予算委員会）と述べるなど、改憲しても自衛隊は変わらないと印象づけることに腐心していた。改憲によって変わることとして口にできたのは、自衛隊の名称が憲法に明記されることにより、自衛隊を違憲とする人たちから根拠を奪うという程度のことである。しかしいまや、自衛隊違憲論を盾にとって自衛隊廃止を推し進めるような人は皆無に近いし、自衛隊が憲法に明記されない状態がこのまま続いたところで、自分たちがリスペクトしている自衛隊を貶めるような議論が盛り上がることもない――国民世論はそう判断し、加憲案に心を動かされることがなかったのではなかろうか。

専守防衛の自衛隊と九条の共存が国民の選択

しかも、安倍氏は、改憲しないと日本を守れないという大義を示す手段を、自分で投げ捨ててしまった。集団的自衛権の一部行使を可能にする新安保法制を二〇一五年に成立させたことだ。

日本が集団的自衛権を行使できるようにならないと、万が一の際、アメリカは日本を助けてくれない。だから、集団的自衛権の行使は、アメリカを守ることのように見えるが、本当は日本を守り国民の生命と財産を守ることなのだ。日本の防衛政策は、これからも専守防衛のままなのだ。——安倍氏はそう国民に説明し、世論の反発を押し切って法律を制定した。そのあとになって、「いや、このままでは日本を守れない、改憲しないと国民の生命を守れない」と強調するとしたら、「どの口がそれを言うのか」と逆に反発を食らうことになっただろう。

いや、加憲案に隠された安倍氏の本音は、集団的自衛権を全面的に行使するための改憲にあったと思う。しかし、日本の防衛につながるとして集団的自衛権の一部を認めさせた新安保法制を成立させたあとで、日本の防衛と関係ない集団的自衛権まで進まなければならないとは言えなかった。けれども、そこに安倍氏の本音があることを、国民多数はうすうす感じ取っていたのかもしれない。すでに集団的自衛権の一部行使が可能になり、日本の安全は確保されたことになっているはずなのに、なぜ安倍氏は加憲案を推進するのだろうか。安倍氏はこの案なら憲法が変わっても自衛隊は現状のままだと説明するが、実はそこには隠された意図があって、集団的自衛権の行使を全面的に可能にしようというのが、この加憲案ではないのか。専守防衛という日本の防衛政策が根底から変わっていくのではないのか。それこそが国民が感じ取ったことなのだ。実際、戦後の日本で集団的自衛権は行使できないとされてきた最大の根拠は、そもそも戦力の不保持という九条の規定にあったのだから（戦力は持てないにしても自国を滅ぼさないための実力組織は当然だろうという理屈である）、戦力である自衛隊の保持が規定されれば、集団的自衛権の全面行使には何の障害もなくなるのは明白であった。

これら一連の経過が示すのは、国民の多数は、やはり集団的自衛権の行使にはあまり賛成していないということだ。少なくとも不安を感じてはいる。防衛政策は専守防衛の枠内であってほしいと願っている（他の国々でも自国防衛と他国防衛に同じ位置づけを与えることはなく日本固有の世論ということではない）。九条に関しては、信念として絶対に擁護するという人もいるが、そういう人のなかでも自衛隊の即時廃止を求める声は強くない。また、九条堅持にこだわらないという人の場合も、ここが変わらなければ日本は滅びるというほどの思いはないし、逆に変わることへの不安を多少なりとも感じている。

そうならば、いま求められているのは、九条と自衛隊の共存のあり方を示すことではないだろうか。戦後の国民世論を分断させてきた最大の問題に、いまこそ決着を付けるべきではないだろうか。

それは、両者が共存することに伴うさまざまな問題点をリアルに捉え、その解決策を提示するものでなければならない。「九条のもとで果たしてまともな防衛政策を持てるのか」という種類の改憲派の疑問にも、「自衛隊を容認してしまったら軍隊のない世界という理想はどうなるのだ」という種類の護憲派の不安にも、同時に応えられるような解決策である。

その解決策は、まだ誰からも提示されていない。しかし、私がこの十数年で経験してきたことは、そこに少しの寄与を行うことが可能かもしれない。それを本書の第一章、第二章を通じて綴っていきたい。

2 専守防衛と九条が響きあう理由と背景

それは、二〇〇三年一二月一八日のことだった。箕輪登という人が札幌弁護士会を訪れ、自衛隊のイラク派兵を止めさせるために裁判を起こしたいとの意向を表明し、同弁護士会の理事（会長と副会長）全員と相談をしていた。翌一九日には航空自衛隊の先遣隊に派遣命令が出されて二六日には出発、翌年一月の陸上自衛隊の先遣隊派遣も目前に迫っているという、きわめて慌ただしい時期である。

箕輪氏と言えば、かつて自民党の衆議院議員（八期連続当選）だった方である。札幌や恵庭、千歳など自衛隊基地の多い北海道一区（旧）が地盤であり、いわゆる国防族、タカ派と目され、防衛政務次官も経験した(郵政大臣も務めた)。その人が日本政府を相手にして、小泉首相(当時）が推し進める自衛隊派遣を止めさせる訴訟をするというのだから、弁護士たちもびっくりである。理事全員で対応しようとなったのには、そういうわけがある。偶然にも、その時期の副会長の一人が私の学生時代の友人であり、かつ彼が箕輪氏による裁判の弁護団の事務局長を務めることになったため、その後、詳しく話を聞くことができた。箕輪氏を著者の一人とする『我、自衛隊を愛す　故に、憲法9条を守る』が誕生したのには、そのような事情もからんでいる。

提訴は〇四年一月二八日。航空自衛隊の本隊が出発した（二二日）直後で、陸上自衛隊の本隊が出発する（二月三日）直前であった。その後、箕輪氏は翌々年五月に亡くなるまで裁判の原告団長を務め、「専守防衛の自衛隊は憲法の枠内だが、海外派兵されるのは違憲である」との訴えを法廷の内外で展開することになる。

九条と自衛隊は相容れないという常識

箕輪氏による裁判の開始は、九条と自衛隊の関係について、戦後の常識を覆す出来事であった。いや、現実にはその常識は通用しなくなりつつあったのだが、それが過去のものであることを象徴的に示すものであった。

戦後の常識とは何か。それは九条と自衛隊は相容れないものであり、交わることもないという考え方である。

確かにこれは常識ではあった。自衛隊を合憲とする考え方は、政府による解釈をはじめ各種存在しており、その影響もあっていまでは自衛隊を合憲だと考える人のほうが多いだろう（多少の躊躇はあっても）。しかし、九条二項は「陸海空軍その他の戦力は、これを保持しない」と明確に規定している。しかも、「その他の戦力」は英文では other war potential となっているため、憲法制定議会においては、〝戦争する可能性のあるものがすべてダメというなら、軍隊を持てないだけではなく兵器をつくる工場も持てない〟などと真剣に議論された。政府は一貫して、〝国会に提出され、審議され、採択されたのは日本文だけだ。英文は参照するかしないかという以前に審議の対象となっていない〟という立場であるが、憲法制定過程においては、実際は英語が先にあり、その翻訳版が現在の日本国憲法であることは常識である。また、マニアックな話になって申し訳ないが、当時は占領下のため、国会で決まる法律など公文書はすべて日本語と英語でつくられ、憲法の英語版も官報にあたる National Gazette に掲載、公示された。英語版の意味はきわめて重たいのである。

自衛隊は、その常識に反してつくられた。政府は、「自衛のための必要最小限度の実力」

であれば合憲という立場だが、兵器工場さえダメだというのが本来の趣旨だというのに、どんなに「必要最小限度」であれ、その兵器を使う実力組織が憲法九条と相容れないのは、あまりにも明白であろう。

それなのに政府は、憲法制定から数年が経ち、自衛隊を創設するにあたって、九条を変えるのではなく、解釈改憲を強行する。そしてその後、「自衛のための必要最小限度の実力組織」である自衛隊は合憲とし、それを政策面で裏付けるあかしとして、「専守防衛」という考え方を打ち出すのであった。

したがって、護憲派にとって長い間、専守防衛というのは解釈改憲を合理化する手法に過ぎず、護憲の対義語とみなされてきた。護憲派の政策は非武装中立で、改憲派の政策が専守防衛というのが、世の中の常識だったのである。

このような対立構造のなかで、世の中の人びとも二つに分かれていた。論を進めるための便宜的な命名になるが、それを〈九条派〉と〈自衛隊派〉とでも名付けておきたい。九条の理想（原理）を最優先にして、即時にか段階的にかは別にして、自衛隊をなくすことに重心を置く人が前者である。後者は、九条を維持するか（解釈改憲）改定するか（明文改憲）では立場が異なるが、自衛隊を将来にわたって維持することを疑っていない人である。

〈九条派〉と〈自衛隊派〉の共闘が成立した

箕輪氏の登場は、この対立構造を崩すものであった。箕輪氏は、自衛隊の海外派兵は違憲であるが、専守防衛は合憲であると訴えたのだ。それまでには存在しなかった新しい考え方である。箕輪氏が〈自衛隊派〉に属することは言うまでもないが、それまでの〈自衛隊派〉のなかでは、自衛隊の活動のある部分は合憲で、別の部分は違憲だという考え方は存在しなかったからである。

ただし、それだけだったら、〈自衛隊派〉内部の分裂に止まっていただろう。この新しい考え方が従来の対立構造を崩したことは、裁判の支援者の顔ぶれにあらわれていた。裁判を支えた北海道選出の国会議員経験者には、共産党の児玉健次氏、元社会党の竹村泰子氏（裁判当時は民主党）、社民党の山内恵子氏などが含まれていたのだ。みんなバリバリの自衛隊違憲論者である。箕輪氏が属してきた自民党とはいわば「敵」であった政党関係者が、それまでの憲法問題での立場を超えて、文字通り超党派で共闘して裁判闘争を進めたのであった。

この変化をどう捉えるべきなのか。護憲派も改憲派も何を学ぶべきなのか。

おそらくこの共闘を支えた直接の動機は、自衛隊を違憲とするか合憲とするかをめぐる溝が、少しでも埋まったことにはない。〈九条派〉は、専守防衛の自衛隊は合憲であるとの箕輪氏の見解には同調しなかったが、あえてそこを問題にするのではなく、海外派兵は違憲だとの一致点で共闘したのであろう。箕輪氏も、それを承知の上で共闘する道を選んだに違いない。

それを可能にしたのは、一つには、イラク派兵の危険性だった。日本ではすでに一九九二年にPKO法が成立しており、カンボジアを皮切りに自衛隊は何回かの海外派兵を経験している。二〇一一年の9・11をきっかけにアメリカが開始した対テロ戦争でも、アフガニスタンに展開する米軍を支援するため、インド洋上に海上自衛隊が派遣された。しかし、PKOは戦争が終了したあとの派遣であるし（現在は違っているが）、インド洋上での給油は地上戦の現場から遠く離れた場所で行われたので、国民の間では自衛官が殺されるとか、逆に殺す側に回るといった切迫感は薄かった。

しかし、二〇〇三年当時のイラクは、アメリカが勝利宣言をしていたとはいえ、なお各地で戦闘が継続していた（いまも継続している）。自衛隊が行く場所は非戦闘地域だけと法律で定められていたが、その通りに事態が推移する保障はなかった。

実際、二〇一八年になって開示されて分かったのだが、当時、現地の自衛隊が作成した「日報」には、自衛隊の車両近くで爆発が起きた事実や、「宿営地にロケット弾」「武装勢力と英軍が銃撃戦」などの生々しい記述があり、一つ間違えば自衛隊が戦後はじめて人を殺し、あるいは自衛官が殺される事態になっていたことが明らかになっている。

箕輪氏の裁判中にはそういうことは隠されていたのだが、防衛族である箕輪氏は、自分の愛する自衛官の命が粗末に扱われることを見抜いていた。国民もまた、そこに薄々気付いていたのである。

イラク派兵を官邸で統括した防衛官僚の悩み

それだけではない。イラク戦争は、戦後一貫して専守防衛を建前としてきた自衛隊が、米軍とともに海外で戦う部隊へと変わっていくことを象徴する戦争だった。変化を是とするか非とするかの違いがあっても、その予感が少なくない人びとの心によぎったのではないだろうか。

二〇〇三年にイラク派兵を主導した小泉首相は、その二年前の〇一年に実施された自民党の総裁選挙で三度目の挑戦を行い、総理・総裁の座についた。小泉氏がその総裁選挙で、過去の総理大臣が一貫して否定していた集団的自衛権について、「研究の開始」を公約して当選したことは、自衛隊が変化していくことを示唆する象徴的な出来事であった。実際、それから一二年の時を経て、安倍晋三氏のもとで集団的自衛権の一部行使が容認され、そのための安保法制もでき上がるのである。

この過程は、〈九条派〉にとって日本の進路を誤らせる重大な変化であったが、〈自衛隊派〉

にとっても、みずからの立ち位置を深く考えさせるものとなる。箕輪氏がその最初だったが、それだけに止まることはなかった。

イラク戦争が開始された時、本書のまえがきにも登場する柳澤協二氏は、防衛省に付属する防衛研究所の所長職にあり、当時は戦争賛成論を唱えていた。その後、総理官邸に入り、小泉首相の下でイラクに派遣された自衛隊を統括する仕事をするのだが、退職後、自衛隊のイラク派遣を総括しなければならないと考えるようになり、『検証 官邸のイラク戦争』（岩波書店）を上梓する。「元防衛官僚による批判と自省」というサブタイトルの通り、自衛隊派遣を深く反省し、根源的な批判を行ったものである。みずからが実務的に責任を負った仕事を批判するのだから、よほどのことだったと推察する。

その批判の根底にあるのは、自衛隊が日米同盟を優先させる政治の「道具」になっているのではないかという疑念である。専守防衛に徹していた時代、自衛官は日本の独立と平和を守るという使命感を持つことができた。ところが、イラクへの派兵は、日本防衛という大義名分がないのはもちろんだが、世界平和に命がけで貢献するという使命感に支えられたものでもなく、ただアメリカとの外交関係を傷つけないという程度の目的から出たものであった。そんな動機でもって、自衛官を殺し、殺される現場に派遣してはならないという、いわば悔恨の書であった。その後に成立した安倍政権が集団的自衛権の行使に傾き、自衛隊がますます日米同盟の道具にされていくなかで、柳澤氏が批判を強めていったことは、多くの人が知る通りである。

自衛隊の準機関紙である「朝雲」の主張

この過程で、自衛隊が道具にされるという危機感をもっとも強く持ったのは、他でもない自衛官自身であったと思う。私のような立場のものが講演する場に、現職でそれなりの地位にある自衛官が参加するのを、しかも「追っかけ」で連続的に参加するのを、人生ではじめて体験することになった。そういう人をここで紹介するわけにはいかないが、自衛隊の準機関紙とも言われる「朝雲」の変化のことだけは指摘しておきたい。

「朝雲」は、自衛隊の前身である警察予備隊の機関紙として創刊されたが、現在は民間の朝雲新聞社が刊行している。とはいえ、購読者の大半は防衛省共済組合を通じた自衛官であり、自衛隊の事実上の機関紙と言っても問題にならない。

『我、自衛隊を愛す　故に……』を刊行した際、その「朝雲」に広告が載らないだろうかとダメ元で依頼の手紙を書いてみたら、かなりの期間をおいて許可が出たのである。その結果、「憲法9条を守る」というタイトルが一面を飾ることになった。時間がかかったことは、それなりの葛藤が内部であったことを窺わせるが、政府とは違う立場の書籍でも読者に見てもらおうという決断があったのだろう。この広告を見た自衛官を名乗る人からまとまった注文が版元にはあったとも聞く。

「朝雲」の一面コラムに「朝雲寸言」がある（朝日新聞で言うと「天声人語」にあたる）。そこに政治への批判が掲載されたのは、二〇〇六年のことだった。竹島問題をめぐって、次のような論評が掲載されたのである（七月六日）。

「日韓のコーストガード（沿岸警備隊のことで、日本では海上保安庁――引用者）は、互いに事態を紛糾させないよう細心の注意を払おうとしている。どちらも力ずくの紛争にはしたくないのだ。実力組織は『政治の道具』でありつつも、政治の行き過ぎに巻き込まれまいとする。方や政治家は海を挟んで声高に相手を非難し、現場はリスクを背負って苦労する。勇ましい政治が紛争の解決に役立たないことは歴史が教えている」

日韓のコーストガードは、竹島をめぐる争いが武力紛争に発展しないよう、細心の注意を払って活動している。ところが、政治の側は（日本側も含め）平気で紛争を煽る。「朝雲」はそれを批判しているのである。自分たちが「政治の道具」であることは自覚しているが、政治がもたらす紛争に巻き込まれたくないという、現場の実力組織（自衛隊も含む）の苦悩が伝わってくるではないか。

また二〇一五年、ＩＳ（イスラム国）がシリアで日本人二人を人質にして殺害したとき、政治家のなかでは自衛隊を救出するために派遣すべきだという議論が高まった。安倍首相（当時）もそう発言した。その際、「朝雲寸言」（二〇一五年二月一二日）は、「国会質問を聞いていると、陸上自衛隊の能力を強化し、現行法を改正すれば、人質救出作戦は可能であるかのような内容だ。国民に誤解を与える無責任な質問と言っていい」と、政治の場での議論を「無責任」と切って捨てたのである。

護憲派のなかには、自衛隊や防衛省が戦争をしたがっているとか、海外に行きたがっていると誤解している人が多いようだが、そんなことはないのである。そういうときに命を失うのは自分たちだから当然のことだ。行かせたがっているのは、つまり批判されるべきは、それでアメリカに顔立てができると思っている官邸、外務省である。自衛隊に対して筋違いの批判をしてはならない。

イラク派兵違憲訴訟の広がりのなかで

こうして、〈自衛隊派〉が九条に接近する道筋は見えていた。では逆に、〈九条派〉が自衛隊に接近するにはどうしたらいいのだろうか。箕輪裁判を共産党や社民党の国会議員が支援することで、その端緒は見えていたのだが、それを理論的につかめたと思えたきっかけとなったのは、やはりイラク戦争がらみのことであった。

自衛隊のイラク派兵に反対する裁判は、箕輪氏が団長を務めた北海道だけではなく、全国で展開されていた。箕輪裁判の弁護団で事務局長を務めたのが私の学生時代からの友人であることは冒頭に書いたが、彼は全国の裁判をまとめる弁護団全体の事務局長でもあり、私はこの裁判を闘うための本づくりを依頼されていた（『我、自衛隊を愛す……』と同じ二〇〇七年三月に『イラクの混迷を招いた日本の〝選択〟』というタイトルで出版）。その仕事のため、全国から集まる弁護士の会議が何か月かごとに名古屋で開かれたので、私もそれに参加した。

名古屋での裁判は、小牧基地から派遣された航空自衛隊の活動を焦点にしたものだったが、のちに有名になる。高等裁判所の段階で、航空自衛隊がイラクで行っている武装した米兵の輸送は違憲だという判決が下され、それが確定判決となったからである。本づくりの過程でも、どういう論理でそれを違憲だと証明するかが綿密に議論されていた。その基本は、専守防衛でも自衛隊は違憲だという従来型の論理ではなく、「輸送」というそれ自体は武力行使とみなせない後方支援であっても、米軍の戦闘行動を一体となって支えるものは違憲であるという論理であった。箕輪裁判の論理にも共通するものだった。名古屋高裁の違憲判決も、その基本線を受け入れるものであった。

それら全国の裁判が終了したのち、名古屋の裁判で事務局長を務めていた弁護士から、一つの本を出したいという相談があった。それが内藤功弁護士の『憲法九条裁判闘争史』（二〇一二年）であり、名古屋裁判を闘った二人の弁護士が内藤氏にインタビューした内容をまとめたものであった。

護憲派、とりわけ自衛隊違憲論に立つ護憲派のなかで、内藤氏のことを知らない人はいないだろう。いるとしたら「モグリ」のようなものだ。

戦後、日米安保条約が結ばれ、自衛隊が誕生すると、それらを憲法違反だとする裁判がいくつも闘われた。砂川事件、恵庭事件、長沼訴訟、百里訴訟などである。内藤氏は、それらの裁判の弁護団の一員として、一貫して中心的な役割を担ってきた。イラク派兵違憲訴訟では個別の訴訟の弁護人にはならなかったが、弁護団の全国的な連絡組織に招かれ、適切なアドバイスをされていたと聞いている。

それら過去の裁判の名前は知っていても、中身にまで踏み込んで勉強していなかった私にとって、内藤氏が依拠した論理はきわめて新鮮なものであった。それぞれの裁判をどういう論理で闘ったのか、とりわけ自衛隊違憲判決が下された長沼訴訟の第一審はどんなものだったかに関心のある方は、その本を読んでいただきたい。私が書いた『改憲的護憲論』でも詳しく紹介している。

護憲派の口から「自衛隊員を愛す」という言葉を聞いた

そういう裁判の中身とは別に、内藤氏の自衛隊、自衛官に対する態度について驚いたことがある。「終章」の最後の最後で、思いもしない言葉が出てくるのである。以下のようなやり取りがあったのだ。

「先生のその熱意はどこからくるのでしょうか」

「やっぱり自衛隊と隊員を本当に活かしてやりたいということの一念ですね。若い隊員を外国の人との『殺し合い』の戦場に絶対に送りたくないんです。領土問題などで、外国との軍事的対決を口にするなんて、絶対にいけないです。『人を活かす』仕事の方に専念させてやりたい。だから箕輪登さんの言われる、『我、自衛隊員を愛す、故に、憲法9条を守る』という心ですよ」

内藤氏と言えば、現在の護憲派が依拠している自衛隊違憲論の骨格を、みずから中心となった裁判闘争を通じてつくった人である。百里訴訟の途上で、一九七四年からは日本共産党の参議院議員を務めた。議員を引退して以降も、しばらくの間、共産党の基地対策委員会の責任者だったのだ。

そういう人であるから、この本はてっきり、自衛隊や自衛官に対しては、舌鋒鋭い批判を浴びせるものだろうと思い込んでいたのである。実際、自衛隊に対する厳しい批判に満ちた本として、最後まで原稿に目を通していた。だから最後になって、まさか箕輪氏とその著作のことが、内藤氏の口から語られるとは想像もしなかったのだ。そして、引用した言葉にあらわれているように、内藤氏による自衛隊批判の奥底にあるもの、氏の言われる「心」とは、「自衛隊員を愛す」という気持だったのである。

ここに目を通した時、護憲派が内藤氏と同じ気持ちで専守防衛派に接することができれば、両派は気持を通い合わせることができると感じた。自衛隊違憲論の総元締めのような内藤氏がこう言えるのだから、護憲派の誰もが同じ立場に立てるだろうと感じたのである。

内藤氏による自衛隊違憲論の組立

この最後の部分を読んだあとなら、それまでの内藤氏によるきびしい自衛隊批判の真意を理解することができる。内藤氏の自衛隊違憲論は、私がそれまで接していた違憲論とはかなり趣が違っていたのだが、その理由が分かったのだ。氏は、恵庭事件の法廷において、自衛隊違憲論をこう組み立てたという。少し長くなるが引用する。

「弁護団の冒頭陳述書を作ったときに第1章として、自衛隊の違憲性、その立証計画を立てるわけです。どういう立論するか弁護団の中で議論しました。私が起案の担当だったから、どういう立論するかを考えぬいて資料を読み込んだ結論は、本質中の本質は自衛隊は米軍に従属する軍隊である、それを冒頭に1として置いたんです。2として、故に自衛隊は攻撃的な軍隊なのであるとした。3は、故に自衛隊は反人民的な軍隊なのである。4で、故に自衛隊は憲法9条につきいかなる解釈手法をとろうとも憲法違反の軍隊であるということです。いかなる解釈手法ということを書いたのは、自衛の戦力ならば許されるという立場に立っても、自衛隊は自衛を逸脱した軍隊だから自衛の戦力ではないという論法を考えた結果です。これを今から45年ぐらい前に考案しました。その後長沼事件でこれを補強した。百里裁判でも補強し、イラク訴訟で更に練り上げていただいた。現在この骨格は間違いないと思います。

自衛隊は単独で海外攻撃する正面装備は揃っても、それを単独でやり抜く仕組みがない。その装備が生かされるのは、米軍との共同、米軍と一緒にという仕組みの中なんです。

反人民性についてみても、自衛隊そのものに旧軍継承の反人民性もあるが、主には米軍を補強する、日米同盟を守るという意味で基地反対闘争やイラク派兵反対闘争に対して情報収集し、警戒し、敵視するというところが根本である」

「自衛の戦力ならば許されるという立場」を考慮して

ここには、通常、自衛隊違憲論者が持ち出す批判的な言葉が並んでいる。自衛隊は攻撃的（あるいは侵略的）な軍隊であるとか、反人民的な軍隊であるなどは、とりわけよく聞かれる言葉である。

けれども、そういう自衛隊の性格は、アメリカに従属していることから生まれているというのが、内藤氏の基本的な認識である。自衛隊そのものに由来する面があることは否定していないが、それは本質的なものではないという認識なのである。「自衛の戦力ならば許されるという立場」を考慮した上で、自衛隊違憲論を立論しているのである。

ここに箕輪氏との一致点がある。アメリカに求められ海外に出かけていって戦争するのは憲法違反だが、そういう戦争と専守防衛は違うものだという一致点である。もちろん、内藤氏は、箕輪氏のように、専守防衛の自衛隊なら合憲だと言っているわけではない。そこを問われれば、おそらく「専守防衛に徹しても違憲だ」とおっしゃるに違いない。しかし、海外に戦争のために出ていく自衛隊と、専守防衛に徹する自衛隊は本質的に異なるものだという認識は存在しているわけだ。そして、自衛隊違憲論も、自衛の戦力も違憲だという論理ではなく、「自衛隊は自衛を逸脱した軍隊だから自衛の戦力ではないという論法」を立てるべきだと述べているわけだ。自衛の戦力は合憲だとする立場への配慮があるのだ。

しかも、内藤氏が自衛隊違憲裁判を闘っていた時期と現在では、専守防衛の意味が異なっている。第二章で詳しく述べることになるが、以前は専守防衛はアメリカの軍事戦略と一体のものであったが、現在はアメリカの戦略からの自立につながっているのである。その結果、現代的な意味合いの専守防衛は、内藤氏の言われる侵略性、反人民性から決別する可能性をはらんでいるのである。

護憲派にそういう認識があれば、専守防衛派に対して、海外派兵推進派に対するのと同じ態度をとることはできないだろう。自衛隊を愛するが故に、海外で戦争するための九条改正には反対し、九条を守るのだと明確に言えるのではなかろうか。

いや、「自衛隊を愛する」とは、さすがに自衛隊違憲論者には言えないかもしれない。しかし、内藤氏のように、「自衛隊員を愛す」なら大丈夫ではないのか。憲法に違反しているかどうかということと、所属するメンバーを愛するか憎むかということは、別の性格の問題である。護憲派がこぞって、「自分は自衛官を愛している。だから、九条を守るのだ」と堂々と表明するときに、護憲派と専守防衛派が協力し合うことができると思うのである。

自衛隊反対でデモ行進する自由のある日本を守るのが使命

ここ十数年、私は本書のような立場で仕事をしてきたため、自衛官だった方々との交流が増えた。ヒラの隊員だった方もいれば、元幕僚長とか元陸将という肩書の方々まで含まれる。そういう交流を通じて、護憲派のこれまでの自衛隊観というものを、正面から問い直さないといけないと思うようになった。

例えば、内藤氏が言及しているなかに、「反人民性」というものがある。「自衛隊は国民に銃口を向けようとしている」というものだ。いまから五〇年ほど前、自衛隊の幹部が〝共産党政権が誕生しても従わない〟という内容の論文を発表したことがあり、事実無根というわけでもない。

けれども、個人の論文をもってして、自衛隊そのものを本質づけるのは正しくない。そのことをリアルに知ったのは、泥憲和さん（故人）という元自衛官のお話を伺ったときだ。泥さん（親友なので「さん」づけさせてもらう）は中学校を卒業して自衛隊に入り、数年で除隊した方であるが、一貫して自衛隊を愛する護憲派であった。その経歴もあって各地に呼ばれて講演したり、著名人と対談したりしたが、泥さんが亡くなったあとに編集した『泥憲和全集――「行動する思想」の記録』に著名人から寄せていただいたエッセイで、憲法学者の樋口陽一氏と元防衛官僚の柳澤協二氏が、感銘した泥さんの言葉として期せずして同じものを紹介している。自衛官として駐屯地にいたとき、まわりを自衛隊に反対するデモ隊の人びとに囲まれたのだが、その際、教官が発した言葉である。

「あの人たちが、あのように自由に意見を表明することができるような国を守ることが、我々自衛隊の使命だ」

自衛隊反対でデモ行進することのできる日本を守る、それが自衛隊の使命だ。自衛隊のなかでは、こう言える教官がいて、隊員を教育しているのである。「反人民的」というものとは対極である。

自衛隊のトップも「自衛隊を非難する人のいる日本を守る」と

「いや、そういう人がいても、それは一部に過ぎない」と言う護憲派もいるだろう。ところが、そうでもないのだ。

一昨年春、月刊誌「Wedge」（二〇一九年五月号）を手にする機会があった。そこに、読売新聞記者として長く安全保障を担当してきた勝股秀通氏（日本大学総合科学研究所教授）が、「国防の盲点」という連載を書いている。その号では、少子化に伴って自衛官のなり手が減っていることに警鐘を鳴らし、自衛隊募集に関する「新たな法令等を準備する」ことを提言していたのだが、記事のなかで、防衛大学校の一期生であり、統合幕僚会議議長を務めた佐久間一氏が退官の日（一九九三年七月一日）に語った言葉を引用している。次のようなものだ。

「自衛隊の任務の高さ、尊さは、我々を無視し、あるいは非難する人々も含めたすべての日本人の平和と安全を守ることにある」

泥さんが教官から教えてもらったことと同じである。自衛隊のトップがこういう認識を持っているから、そういう教育が自衛隊のなかで行われ、ヒラの自衛官である泥さんもそう教えられたのである。勝股氏は、これを「二度と言わせてはならない言葉」として引用している。何故かというと、そんな気遣いを自衛隊にさせずに、法令等で半ば義務的に自衛官を確保すればいいと考えているからである。

しかし、入隊すれば厳しい訓練が待ち受けていると分かっていながら、これまで自衛隊が定員を充足させてこられたのは、若者に見えている自衛隊が、佐久間氏の発言にあるようなものだったからだ。自衛隊がそういうものになれるよう努力してきたからだ。もちろん、それに反する事実をたくさんあげることも可能だろう。けれども、自衛隊のなかでそういう思想が生まれたことは事実なのだから、護憲派がやるべきことは、それを大事にし、育てていくことではないか。反人民的な要素があると批判するのはいいが、それが自衛隊の本質にならないように努力するということではないのだろうか。

「そんなことを言っても、自衛隊の任務には治安出動がある。国民に銃を向けるのだ」と言う護憲派もいる。実際、自衛隊法で定められた自衛隊の任務の一つに「治安出動」があり、その際には警察官と同じ基準で武器の使用が認められるので、まったくの虚構というものではない。六〇年安保闘争の際には真剣に出動が検討されたと言われている。

しかし、治安出動が発令されたことは、これまで一度もない。発令されるにしても、それを決めるのは政治の側であって、自衛隊が決めるわけではない。自衛隊に治安維持の任務が与えられているのは、国会が定めた自衛隊法によるものであって、この任務を削除することを国民多数が要望し、国会でも多数になれば、ただちに法改正が実現するのである。

なお、『我、自衛隊を愛す…』の著者の一人に、防衛庁の官房長を務めた竹岡勝美氏（故人）がいた。何回かお会いしている内に、私の過去の経歴を話す機会があり、学生時代に全学連の委員長だったことを告白したら、竹岡氏は突然立ち上がり、「昔は追い回して申し訳なかったねえ」と頭を下げたのである。竹岡氏はもともと警察官僚であり、何県かで警察本部長も歴任したような方だった。私は全学連委員長に就任したとき、先輩から「常に三人の公安警察が分担して監視しているから注意するように」と申し送りを受けたこともあり、そういうことを謝罪されたのであったと思う。反人民的というか、反政府団体を敵視するといえば、自衛隊よりも警察がずっと上であるが、その警察官僚にも別の考え方をしている人がいると分かってうれしかった。組織と個人は区別しておかねばならないのである。

現場の自衛官がアメリカにノー！という理由

自衛隊の「対米従属」という問題も一言述べておく。自衛隊自体には侵略性、攻撃性はないが、アメリカに従属しているが故に、そういう要素が出てくるのは事実である。アフガニスタンでのアメリカの戦争を助けるためのインド洋上への海上自衛隊の派遣、イラクへの陸上自衛隊と航空自衛隊の派遣、現在の対イランを意識した湾岸地域への情報収集のための自衛隊派遣を見れば、そのことは明らかである。

しかしまず、そのような問題があっても、大多数の自衛官は、ほとんどの日常を、日本国内において、日本をどう守るかという意識を持って日夜訓練し、生活していることを忘れてはならない。自衛官の使命感を否定するようなアプローチをとってはならないと思う。

そのことを痛感したのは、『自衛官の使命と苦悩――「加憲」論議の当事者として』を編集したときである。この本は、元陸将二人、空将補一人に私がインタビューをして構成したものである。そのうちの一人である渡邊隆元陸将は、陸上自衛隊とアメリカ陸軍の共同演習が開始された七七年、北海道の部隊に配属され、米軍との連絡役を任されたこともあり、軍事面での日米関係を肌で知っている人でもある。米陸軍大学への留学経験もあり、日本初のカンボジアPKOで初代の大隊長を務めた方でもある。

その渡邊氏が、「自衛隊は米軍に対して、常にノーだ!と言っていました」と強調していたことが忘れられない。例えば、北海道にソ連軍が侵攻することを想定し、図上演習をするようなことがある。図面上で、陸上自衛隊と米陸軍がどう作戦行動をとるのかを確認するのである。その際、米陸軍は、作戦上の合理性を優先させ、そこが市街地であろうとも戦場にすることを厭わない。しかし、陸上自衛隊にとって、そこは日本国民が住んでいる場所なので、作戦行動をしてはいけない場所なのだ。だから、必然的に「そこを戦場にすることはノーだ！」と主張することになるのである。

こうやって自衛官というのは、日本国民の命を大事にしようとする。そのためにはアメリカ軍とだって対決するのである。

もちろん、北海道でソ連軍を迎え撃つのは、世界規模での米ソ戦争を前提にしたもので、純粋な意味での日本防衛ではないと言うことは可能だろう。日米安保条約を廃棄すればそんな想定は不要なのだ、対米従属から抜け出せばいいのだと。

しかし、あまりにも当然のことだが、安保条約を廃棄するかどうかは自衛隊が左右できることではない。自衛隊は、安保条約を前提とする日本政府のもとで、その日が来ないように願いながらも、政府の方針に従って訓練を積み重ねるしかないのである。

そして、いくら米ソ対決の一環だとしても、目の前にソ連軍が押し寄せてきたとして、国民を守るために行動しないという選択肢はあり得ない。たとえ日本の侵略で開始された戦争であっても、アメリカによる東京大空襲のような民間人の大量死につながる国際人道法違反の攻撃があれば、日本側が米軍機を撃ち落とすのに反対できないだろう。

自衛隊を抽象的にではなく個人としてイメージする

それでも護憲派のなかには、自衛隊を少しでも肯定できないという人もいる。何と言っても強大な軍事組織であるので、「怖い」とか「人殺しの訓練をしている」というイメージを最初に持ってしまうと、なかなか変えることができないのだ。

ただし、そういう護憲派の方々に対して、ご自分の主張への理解を広げるためのアドバイスとして語りたいのは、是非、あるケースをイメージしながら自衛隊を批判してほしいということだ。それは、自衛官が自分の親友であったり、あるいは自衛官の妻と自分の妻がママ友であったり、子ども同士が同じクラスで学んでいるというようなケースである。自衛隊というものを抽象物ではなく、具体的な個々の人間としてイメージしてほしいということだ。

女性団体の講演会に呼ばれ、自衛隊と九条の共存というテーマについて語る際、私はかなり注意深く語っている。自衛隊、軍隊に否定的なイメージを持っている人が少なくないからだ。しかし、ある京都の女性団体の講演会に参加した際、そういうイメージを誰も持っていないことに気づいた。不思議に思ったので訳を聞いてみたら、近くに大きな自衛隊の駐屯地があるのだが（それは知っていた）、その女性団体が主宰する子育てのサークルなどに、自衛官の妻や子どもが参加しており、身近に感じているというのである。

それは大事なことである。自衛官といってもせいぜい二〇万人強しかいないため、付き合ったことのない大多数の人びとにとっては、「日夜、軍事訓練をしている人たち」程度の抽象的な捉え方しかできない。けれども、付き合ってみれば、ただの人である。自分と同じように悩み、笑い、生活する人である。その女性団体の全国組織は、自衛隊の装備が百貨店で展示されたり、子ども向けの図鑑に掲載されたりするのに反対運動を組織するような団体である。自衛隊を憲法に書き込む「加憲」にも猛反対している。しかし、生身の付き合いがあれば、そういう運動をするにしても、一人ひとりの自衛官やその妻、子どもを傷つけないようなものの言い方をしないといけないと考えるようになる。そうなると、相手が自衛隊を否定する人であれ肯定する人であれ、理解をしてもらえるようなものの言い方ができるようになるのではないだろうか。

九条と自衛隊の共存を通じて自衛隊解消は可能になる

それでもやはり、自衛隊は九条に反すると何十年も捉えてきた人にとって、共存という考え方を受け入れるのは困難だろう。ただ、そういう人に最後に言いたいのは、九条と自衛隊が共存する時代を通じてこそ、自衛隊を解消するという護憲派の究極の理想も実現するということである。

世論調査を見ても、自衛隊を廃止する世論は数%の低いほうであり、しかも、どんどん少なくなっている。他方、自衛隊の現状を肯定する世論は、八割から九割で安定して推移している。なぜそうなるかと言えば、中国の尖閣諸島へのくり返しの侵入、北朝鮮の核ミサイル開発などに象徴されるように、私たちのまわりに存在する現実が軍事力の必要性を実感させるからである。人の意識は現実に規定されるのであって、現実を変えないまま意識を変えることはできない。自衛隊は不要だという意識は、自衛隊は不要だという現実だけが生み出すのである。

だから、護憲派にとって必要なのは、日本周辺の紛争の火種をなくし、友好的な関係を築く外交をどう展開するかである。外交を担うには、どうしても政権をとる必要がある。しかし、自衛隊を否定していては国民の支持を得られないので、政権は近づいてこない。その結果、改憲派の政権が続いて日本周辺の緊張が続くことになり、国民はますます自衛隊の必要性への自覚をたかめていく。

護憲派がやるべきは、まさに九条と自衛隊を共存させる政策の確立であり、〈九条派〉と〈自衛隊派〉の共存関係の構築である。両者が協力し、九条のもとで自衛隊にどんな役割を与え、どうアジアにおいて平和的な関係を築けるのかを示し、国民多数の支持を得て政権につき、実際に外交を展開してアジアの関係を変えていくのである。そうやって、中国や北朝鮮の挑発を抑え、それが何年、何十年と続くことによって、国民の意識も変わっていく。その平和的な関係が永続すると国民が確信するようになれば、現在は改憲か護憲かで分かれていても、どこかで自衛隊を縮小することへの合意が生まれ、やがては解消の合意が芽生えていくかもしれない。〈自衛隊派〉と〈九条派〉が合意のレベルを次第に変化させていくわけだ。自衛隊解消に向かって、それ以外の道はない。少しでも共存を打ち出すと自衛隊を認めることになる、だからそんなことは受け入れられないという態度を護憲派がとっている限り、自衛隊が廃止される日は遠のくばかりではないだろうか。

3 自衛隊の海外派遣も九条と合致する場合がある

自衛隊の海外活動に対する国民の印象の変化

『我、自衛隊を愛す…』の刊行に努力していた時期、私が並行して悩んでいたのは、自衛隊の海外派兵をどう考えるのかということであった。これまで、話を分かりやすくするため、海外派兵を専守防衛と対比させ否定的なものとして語ってきたが、自衛隊の海外における活動を全否定できるのかという問題が、ずっと喉に引っ掛かったトゲのような感じだったのである。

国連平和維持活動（ＰＫＯ）への自衛隊参加が開始された当初、テレビなどでは戦前の日本軍が行軍する場面などが放映され、ＰＫＯとはあたかも戦争をしにいくようなものだというイメージがつくられた。しかし、日本初の参加となったカンボジアＰＫＯが成功を収め、カンボジアの国づくりが軌道に乗るとともに、自衛隊にも犠牲が出なかった（警察官の死者はあったが）ことなどから、ＰＫＯに抱く国民のイメージには変化が生まれていた。

それだけではない。あれだけ反対世論が高まった自衛隊のイラク派遣においても、自衛隊は誰一人殺されなかったし、誰一人殺すこともなかった（その危険があったことは前述の「日報」問題でも明らかだったのだが）。イラクの米軍が反対派住民の掃討作戦に従事していたのと異なり、自衛隊の任務は「復興支援」とされ、派遣された部隊も道路や橋の補修などが得意な工兵隊（施設科部隊）であり、住民から感謝されたという話も伝わってくる。

これらの影響を受けて、「平和のために海外でも必要とされる自衛隊」というイメージが日本国民の間で広がり、定着してくる。そういう自衛隊像を持つ人たち（特に若者に多かったが）を護憲派に迎え入れようとすると、自衛隊の海外活動というものをもっとリアルに勉強しなければならないし、少なくとも全否定するという結論から接近してはならないと感じはじめていた。

戦場に出かけて武装解除をする日本人

そういうなかで、ある人と出会った。伊勢崎賢治氏（東京外国語大学教授）である。本書の冒頭で護憲か改憲かの討論会に参加したことを紹介したが、そのイベントに護憲的改憲派として登壇した方である。

伊勢崎氏のお名前をはじめて聞いたのは、二一世紀の初頭の頃であろう。二〇〇一年の9・11同時多発テロ直後、アメリカは、アルカイダを匿っているとしてアフガニスタンのタリバン政権を打倒したが、その後に国連の枠組みで開始された新政権樹立のプロセスにおいて、氏が日本政府の特別顧問として二〇〇三年、軍閥の武装解除に取り組んでいることが伝えられていた。アメリカによるタリバン政権打倒の是非はどうあれ、また新政権がアメリカの傀儡になることは明白だとしても、群雄割拠の軍閥が戦車やミサイルまで保有して対立する状況を放置していては、いつまでも戦争は終わらないというのが、国連の判断だったのだろう。

アフガニスタンだけではない。あとで知ったことだが、伊勢崎氏を一躍有名にしたのは、二〇〇一年、アフリカのシエラレオネに派遣された国連PKOで、氏が武装解除部長という要職に就き、成功を収めたことだった。シエラレオネでは、一九九〇年代の長い内戦の過程で、五〇〇万人の人口の内、何十万人もの人が命を失っていた。二一世紀に入り、ようやく停戦合意が生まれたが、氏が挑んだのは、いまだ戦火が止まないシエラレオネに入り、政府軍や反政府ゲリラから一〇万を超える武器（ほとんどは自動小銃）を取り上げてくる仕事である。まわりは武装したPKOに援護されているとはいえ、民間人だからもちろん丸腰で乗り込み、みずから武装した相手に「武器をわたせ」と交渉をしてくるのである。短期間で武装解除を成し遂げたシエラレオネの事例は、国連PKOの歴史のなかでも突出した成功例と評価がされていた。

その中心に日本人がいたのである。その時点ですでに第二次大戦の終了から半世紀以上が経過していたが、日本はずっと戦争と無縁であった。戦争の現場を知る日本人は、自衛官の間でさえ皆無になっている。それなのに、民間人に過ぎない人が、武装勢力のところに出掛けて武器を取り上げてくるというのである。そのことによって、シエラレオネなどに平和をもたらしたというのである。

当時は、改憲派からは日本のことを「一国平和主義」と揶揄する論調が強かった。しかし、日本人が海外で平和をもたらす仕事をしているというのだから、驚きというより、誇りに近い気持を持ったことを思い出す。若者の間でも氏のような生き方への共感が広がり、私事で恐縮だが、私の息子も伊勢崎ゼミに入りたいが故に、東京外大に入学したほどであった（実際にゼミでお世話になった）。

憲法違反の武装解除で平和がもたらされている

伊勢崎氏の仕事は、護憲派にとって大きな挑戦であった。世界の各地でいまだに毎年、何万、何十万人の死者を生み出す戦争が続いているが、日本はそういうグローバルな課題にどう立ち向かうのかという問題を提起していたからである。

それまでの護憲派は、ＰＫＯをはじめ、海外における軍事的な活動に日本はいっさいかかわるべきでないという態度をとっていた。経済力を生かして援助をするというのが主流だったし、人的な貢献をする場合も、医療や開発支援でというのがせいぜいのところであった。ところが伊勢崎氏は、軍事組織であるＰＫＯを率いて仕事をしているのである。しかも、その仕事が「武装解除」なのである。

武装解除というのは、護憲派にとって特別な意味を持つ仕事であった。九二年に成立したＰＫＯ協力法は、自衛隊がはじめて本格的に海外に派遣されるものであり、国民の間で懸念も強かったことから、いろいろな制約が課されていた。例えば、憲法によって海外での武力行使が禁じられていることをふまえ、自衛隊による武器の使用は「要員の生命等の防護のために必要な最小限のものに限られる」と位置づけられ、そのため上官の命令にもとづくものではなく自衛官個人の判断でするものとされた。

さらに、自衛隊の任務についても、危険だと思われた本格的な業務に従事することは「凍結」されたのである。その中心が「武装解除」であり、いかに停戦合意があっても、いやがる相手から武器を取り上げようとすると、殺したり殺されたりすることになるとして、凍結が決まったのだ。その結果、ＰＫＯに派遣される自衛隊の任務は「復興援助」が中心となり、二〇〇一年にその「凍結」が解除されて以降も、武装解除を目的とした自衛隊派遣はされていなかった（現在に至るもされていない）。

それなのに伊勢崎氏は武装解除の中心にいる。しかも、その仕事が戦争を終わらせ、平和をつくりだしているようでもある。

私の周辺の護憲派のなかでは、その事実を知っても、「武装解除＝憲法違反」という考え方に固執し、伊勢崎氏の仕事は違憲だという人も少なくなかった。けれども、戦争を終わらせる仕事が憲法違反ということでは、憲法に違反しないと世界に平和は訪れないことになり、憲法の役割とは何なのかが根底から問われてくる。私が自衛隊の海外における全活動を否定していいのかと考えはじめたのには、そういう背景があった。

伊勢崎氏が考えていた護憲派の観念性への違和感

伊勢崎氏も、武装解除を違憲だと考える護憲派には違和感をいだいていたのであろう。例えば二〇〇二年、「朝日新聞」の「私の視点」に投稿しておられたが、「抑止力としての中立な武力は、局地的な紛争処理に非常に有効な手段である」として、次のように述べていた。「日本はもちろん、独自判断で海外での軍事行動はしてはいけない。最良のパートナーが必要だが、国連は完全ではなくても、米国よりは客観的で公正である。海外派兵をするかどうかが、ねじ曲がった国粋主義に利用されないためにも、自衛隊を積極的に海外で『平和利用』し、かつ軍事同盟での利用の道を閉ざす――そうした土俵での憲法論議ができないだろうか」

ここでは、伊勢崎氏が改憲派か護憲派かは明示されていない。しかし、PKOの軍隊に依拠しながら武装解除を成功させている日本人として、日米軍事同盟を否定的に捉えつつも、PKOさえ拒否する護憲派への違和感も表明されていた。その後、私は伊勢崎氏に連絡をとり、『自衛隊の国際貢献は憲法九条で――国連平和維持軍を統括した男の結論』という本を書いていただくことになるのだが、その冒頭には以下のような記述がある。氏の二〇〇二年当時の護憲派に対する考え方である。

「そういう（武装解除などの）仕事をしながら、武力紛争のやまない世界の現実を、いやというほど見てきた。国連平和維持軍などの中立的な武力を利用して、その処理にあたってきた。だから、軍隊は必要がないという護憲派の方々の考え方には、やはり違和感を持たざるを得なかった。

もちろん、アメリカがイラクでやっているような戦争に自衛隊を参加させるために改憲しようなんていう考え方には、強く反対してきたつもりである。東チモールでは、二一世紀初めての非武装国家をつくろうと努力もした。だから、憲法九条の精神というものを、大事なものだと感じていたことは理解してほしい。

それでも、目の前で紛争が起こり、人が殺されていく現実がある中で、すべての問題を武力なしで解決するというのは、僕には観念的な考え方に思えた」

「前文と九条は、一句一文たりとも変えてはならない」立場へ

伊勢崎氏の本を企画・編集する以前の私は、自衛隊の海外活動を全否定していいのか迷ってはいたが、まだ氏の言う「観念的な考え方」に縛られていた面があった。そのため、コンタクトをとることをためらっていたのだが、ある日、その迷いを払拭させられることになる。氏の『武装解除——紛争屋が見た世界』(講談社現代新書、二〇〇四年)を読んだのだ。

その本では、シエラレオネやアフガニスタンでの武装解除の経験が、当事者でなければ知り得ないリアリティをもって書かれていた。それをなるほどと感じながら読んでいったのだが、最後のあとがきに、以下のような記述があって驚くことになる。

「つまり、現在の政治状況、大本営化したジャーナリズムをはじめ日本全体としての『軍の平和利用能力』を観た場合、憲法特に第九条には、愚かな政治判断へのブレーキの機能を期

待するしかないのではないか。

日本の浮遊世論が改憲に向いている時だから、敢えて言う。

現在の日本国憲法の前文と九条は、一句一文たりとも変えてはならない」

これはお会いしなければならない。何故そういう考えに至ったのか、お話を詳しく伺わなければならない。その想いに突き動かされて大学に伺い、お願いして刊行したのが、先ほど紹介した『自衛隊の国際貢献は憲法九条で』であった。

それまで私は、『我、自衛隊を愛す…』を通じて、防衛省の官僚とは付き合いがあった。しかし当時の私は、護憲派が批判の対象としてきた自衛隊について、観念的な知識しかなかった。そういう状態のままで、やれ武装解除は違憲かどうかなどの議論に参加し、判断を下していたのである。伊勢﨑氏の本を企画、編集したことは、そういう私に大きな変化をもたらしてくれた。

嫌いな軍隊でも平和のためなら役立てる

伊勢﨑氏は、民間人でありながら、軍隊に関する知識が豊富であった。知識といっても、書類を見て覚えたものではなく、仕事の必要上身についたものである。氏は、シエラレオネPKOで仕事をする前、九九年末からしばらくの間、東ティモールの一三人の知事の一人として国連から任命され、ＰＫＯの兵士一五〇〇人と軍事監視員二〇人を統括した経験もあるという。当時の東ティモールは、住民投票によってインドネシアからの独立を決めていたが、インドネシアとの併合を望む民兵がそれに反対して虐殺、破壊活動をしており、国連が暫定的に統治していたのである。

独立後のことを考えると、軍隊は不可欠だが、それが強大な権力を持つことは望ましくない。そこで、知事がＰＫＯを統括する場面を住民に見せることにより、文民統制を実地で体験させる必要がある。そのため伊勢﨑氏は、何の経験もなく軍事用語さえ知らなかったのに、オーストラリア人のＰＫＯ司令官のサポートを得て知識を身につけていったのである。氏が希望して派遣されたのは、インドネシアとの国境沿いにある県で、軍事衝突がもっとも頻発していたから、まさにオン・ザ・ジョブ・トレーニングのようなものである。実際に、ＰＫＯの兵士二名が殺され、その仕返しとして隷下のニュージーランド部隊が掃討作戦をしたこともあるという。

それらに関する伊勢﨑氏の話は新鮮かつ具体的だった。また柔軟でもあった。本にも以下のように書かれているが、護憲派に対して自衛隊を好きになれとは言っていない。

「軍を嫌う人びとの気持ちはわかるつもりだ。何といっても、軍隊は暴力装置だ。軍というのはプロフェッショナル・キラーであり、いかに人間を効率よく殺すかという事を、日夜訓練している人たちだ。それを好きになれと言っても無理だと思う」

しかし、嫌いなものであっても、それが平和に役立つものなら利用しようではないか。それが伊勢﨑氏の立場であった。護憲派もそれくらいまでは容認していいのではないかということであった。

丸腰の自衛官を国連軍事監視員として派遣する

伊勢﨑氏に書いていただいた本は護憲の本である。しかし、改憲か護憲かを問わず、全政党に推薦をもらいたいと考えた。伊勢﨑氏が体験している戦争現場がどういうものか、日本は何をできるかは、政治的立場がどうあれ、知っておかねばならないと考えたからだ。改憲か護憲かで意見を闘わせるためにも、戦争の現場がどうなっているかという事実は共有しないと、議論が現実と離れたものになるからだ。

そこで、本の帯には「9条論議に不可欠な紛争現場のことがわかる本だ」というコピーをつけることとし、国会の議員会館を回った。その結果、改憲や加憲を当時訴えていた自民党（猪口邦子氏）、民主党（犬塚直史氏）、公明党（遠山清彦氏）からも推薦を受けることになる。ところが、護憲政党では、社民党（福島瑞穂氏）からは了解を得たのだが、共産党でつまずいた。笠井亮氏（政策委員長・当時）は賛成してくださったのだが、党指導部から改憲勢力と名前を連ねるような本を推薦してはならないとダメ出しがあったのだ。残念だったが仕方がない。共産党だけ名前が出ていないと、「なぜだ」と聞かれるし、正直に答えると共産党を批判するようなことになりかねない。そこで、「『改憲』『加憲』の政党の方からも推薦」という文章を帯にいれることとして、福島氏のお名前は泣く泣く外すことになった。申し訳ないことであった。

この本には、東ティモール、シエラレオネ、アフガニスタンにおける氏の経験が満載されている。その経験を通じて、戦争を終わらせるための日本の経済援助のあり方、自衛隊の使い方などについての提言がされている。関心があれば読んで頂きたいが、その本のタイトルがなぜ『自衛隊の国際貢献は憲法九条で』となっているかだけ、ここでも紹介しておこう。

結論から言えば、伊勢﨑氏が提案しているのは、自衛官を国連の軍事監視員として派遣することである。軍事監視員とは、PKOの部隊とは別個に国連が派遣するもので（だから国連職員の資格であって日本の派遣数にはカウントされない）、PKO兵士とは違って丸腰で武器は持たない。

なぜ丸腰で派遣されるのか。それは、武装勢力に停戦合意の維持を求めるのに、国連の側が覚悟を持っていることを示すためだ。軍人があえて非武装で行うことによって、武装勢力に対して「俺たちを撃ったらおしまいになるぞ」という覚悟を示し、停戦状態を維持するのである。ＰＫＯが武装解除をする場合も、敵対勢力間の信頼醸成をしたり、武器回収の統制を行う。

身体を張ってやる仕事であり、勇気がいる。実際に犠牲も少なくないという。しかし、戦争を終わらせる上で、きわめて重要な仕事なのだ。

しかも憲法九条との関係で大事なことは、非武装なので、みずから武器を使用することがないことだ。日本で自衛隊を派遣しようとすると、つねに「武器を使用するのか」「それは海外での武力行使を禁じた憲法に違反するのではないか」という議論になってしまうのだが、そういう微妙な問題を回避することができるのである。

平和を創り出す仕事も憲法違反と批判するのか

さらに、日本という国は、過去に侵略をしたアジアを除くと、他国からは「平和国家」のイメージをいだかれている。自衛隊の海外派兵が恒常化したため、いまそれは崩れつつあるのだが、一人も殺していないという「実績」があるため、まだ他の国よりはマシだと見られている。だから、他のどの国よりも、武装勢力を説得するための「資格」のようなものがあるのだ。ということは、自衛隊が軍事監視の仕事をやれば、他国の軍隊がやってもできないことをやれる可能性がある。自衛隊が戦争を終わらせる仕事をできるのだ。

伊勢崎氏は、この本の最後のほうで、次のように述べている。

「自衛隊がこういう分野に参加することは、むしろ護憲行為なのではないだろうか。それとも、護憲勢力は、自衛隊が非武装で参加し、人を殺す武器を取り上げるということも、憲法違反だとして排除するのだろうか」

重い問いである。しかし実は、自衛隊はすでに、丸腰で武装解除の仕事に取り組んでいるのである。二〇〇七年、ネパールでの内戦を終結させることで紛争当事者間で一致し、平和維持活動の一環として「国際連合ネパール支援団」が送られた。自衛隊は、〇七年から一一年までの間、非武装の自衛官六名を交代で派遣した。日本ではあまり話題にならなかったし、護憲派も反対運動を起こさなかったし、反対の声明を出したという話も聞かない。それならば、護憲派はさらに進んで、このような任務での自衛隊派遣には同意するという選択もあるのではなかろうか。

なお、伊勢崎氏は現在、このような自衛隊派遣であっても問題があることを訴えている。その問題は、自衛隊のありようを考える上で大事なことを含んでおり、私も主体的にかかわっているので、次の章で詳述したい。

第二章

左右が一致する防衛問題の政策と法律をつくる

九条と自衛隊は共存する以外にはないし、その条件も生まれている。第一章ではそのことを論じてきた。第二章では、その共存が両者にとって気持のよいものになるには、防衛問題でのまともな政策と立法が不可欠であることを明らかにしたい。

両者の共存が〈自衛隊派〉のなかに不満を生み出すとすれば、九条のもとでは日本の防衛が満足にできないという疑念が存在するからだろう。その疑念がこれまで改憲志向を生みだしてきた。

改憲志向の中身はさまざまである。これまで述べてきたように、日本はＰＫＯなどで積極的な役割を果たすべきだと考えているのに、護憲派は自衛隊の海外派兵は違憲であって止めさせるべきだと訴えているので、疑問の余地のないようにすべきだという考えもある。あるいは、周辺国はどれも核兵器を増強させたり軍備を拡大しているのに、日本は九条が足かせになっているので、対抗できるようにすべきだという考えもある。アメリカに依存しない精神的な支柱として、防衛は日本自身が担うことを明確にすべきだという考えもあろう。

しかし、九条のもとでしっかりとした防衛政策が打ち出せるなら、それら疑念の多くは解消するだろう。〈自衛隊派〉としては、改憲に労力を使い果たすより、防衛政策を考えることに力点を置くようになるかもしれない。

逆に、〈九条派〉にとって、両者の共存は肯定的でもあり、否定的でもあろう。九条が守られるという点では満足だろうが、自衛隊は九条に反するから積極的に共存する気持にはなれない、というあたりだろうか。

ただし、〈九条派〉が望むように、もし万が一、自衛隊を解消してもいいという国民合意ができるとしたら、尖閣周辺で中国の海警局の船が出没することがなくなったり、北朝鮮の核ミサイルの脅威がなくなるなど、日本の周辺情勢に安定が生まれ、それが何世紀にもわたって続き、「もうどの国も日本の一つの島でも奪いに来ることはない」と国民多数が思えるようになるときだ。現実が変わらないと、国民の意識も変わらない。

そして、そのような現実を生み出すためにも、しっかりとした外交政策と防衛政策が不可欠なのである。そんな外交・防衛政策を誰がつくるのか。護憲派でない政権には任せられないだろう。軍隊のない理想のためにも防衛政策が求められるのだ。

そういう点で、防衛政策を探求していくことは、〈自衛隊派〉にとっても〈九条派〉にとっても、共通の関心事であるべきなのだ。それこそ両派が共存して議論し、つくりあげていくことが必要である。以下、そのために私が取り組んできた経験を綴りながら、その政策と立法を考えていきたい。

1 「自衛隊を活かす会」の結成とその問題意識

変わった組み合わせの会

二〇一四年（六月七日）に結成された「自衛隊を活かす会」（正式名称「自衛隊を活かす：21世紀の憲法と防衛を考える会」）は、小さな会である。呼びかけ人が三名で、事務局長が一名（私）だけだ。

呼びかけ人の代表は柳澤協二氏。防衛庁に入庁し、一貫して防衛官僚として仕事をしてきた。作戦（運用＝operation）を担当する運用局長や官房長を経て、防衛研究所の所長をしていた頃（守屋武昌氏との事務次官争いに敗れて左遷されたという噂があるが氏に確かめたことはない）、本書で何回か言及したイラク戦争が起こり、派遣された自衛隊を統括するために小泉首相から内閣官房副長官補（事務次官待遇）に抜擢された。その後、安倍晋三、福田康夫、麻生太郎の各首相に仕えて退官することとなる。

他の呼びかけ人のうち、一人はすでに紹介した伊勢﨑賢治氏。もう一人は加藤朗氏である。防衛省直轄の防衛研究所に長く勤め、テロやゲリラなど低強度紛争の専門家として知られる。防衛研究所を退職してのち、桜美林大学で教授となり、同国際学研究所の所長なども歴任している。

数年前、ある学習会の講師として加藤氏と二人で招かれたのだが、加藤氏曰く、「一〇年前だったら、この二人が同席するなど、誰も想像できなかった」。その通りだと思う。二年ほど前、兵庫県のある九条の会に柳澤氏と招かれて対談した。冒頭の自己紹介で、柳澤氏は「松竹さんと付き合っているので、かつての仲間からは裏切り者と言われるようになった」と述べられたので、「私も柳澤さんや自衛隊幹部と付き合うようになって、九条の会の人たちなどから裏切り者とみなされるようになった」と応じた。そんな会である。

日米同盟容認派にあらわれた海兵隊不要論

「自衛隊を活かす会」がつくられるには前史がある。まず、柳澤氏と私の出会いがあった。二〇一〇年にさかのぼる。

その年、秋に沖縄県知事選挙が予定されていた。沖縄の県知事選挙は、いつも保守と革新の一騎打ちであるが、その年は、現職の仲井眞知事に対して、焦点の普天間基地を抱える宜野湾市の伊波市長が挑戦する構図である。私は、選挙前に普天間基地の即時返還を求める伊波氏の本を刊行したいと考え、早くから氏とお会いして準備を進めていた。

ただ、伊波氏の勝利は簡単ではないと見込んでいた（実際に勝利できなかった）。何故かといえば、当時の沖縄における保守と革新の対決構図の中心にあったのは日米安保条約を維持するか廃棄するかであったが、あれだけ米軍基地の重圧に苦しむ沖縄県民のなかでも、「維持する」という世論が多数だったからである。一九九四年の少女暴行事件など重大な問題が起きると安保容認の世論が減るのではあるが、それでも基地の縮小や過度な重圧の解消を求める声は多数になっても、「日本の安全のためには日米安保の廃棄までは求めない」と考える県民が多かったのである。

そこにあらわれたのが柳澤氏であった。氏は、二〇〇九年の総選挙で自民党の敗北、民主党の政権奪取を見届けて定年で退職し、天下り先の日本生命にいた。総選挙における鳩山由紀夫氏の普天間基地県外移設の公約が、「抑止力」を理由にして投げ捨てられていくのを見ていた柳澤氏は、翌一〇年一月、朝日新聞に「〝普天間〟の核心／海兵隊の抑止力を検証せよ」を投稿したのである。防衛省に在職していた頃、抑止力というものを真剣には考えていなかったことへの反省を表明した上で、沖縄の海兵隊が抑止力にはなり得ないと論じたものであった。

私は、知り合いの朝日新聞記者を通じて、柳澤氏に抑止力に関する本を企画したいとの意向を伝えた。一か月ほど経って（私のような左翼的な人物とかかわったり、その種の出版社から本を出すことにかなりためらったと、のちに聞かされた）お会いすることになり、快諾していただくことになる。そうして刊行したのが『抑止力を問う――元政府高官と防衛スペシャリスト達の対話』である。防衛大学校の教授や防衛研究所の研究員など六名が対話の相手を務めてくれた。

安保容認と安保否認の対立構造を変える

話題性があるからというだけで企画した本ではない（刊行後すぐに日本記者クラブに柳澤氏が呼ばれて講演したように話題性は明確だった）。何よりも、沖縄における保守と革新の対決構図に変化をもたらしたかった。

当時の（現在も同じだが）沖縄政治の最大の焦点は普天間基地の移設をめぐる問題であった。保守は辺野古への移設を容認し、革新は移設に反対して普天間基地の撤去を求めていたのだが、前述のように保守は日米安保容認で、革新は安保廃棄でまとまっていた。その結果、普天間基地を移設して新基地をつくることでは県民の多数が反対しているのに、選挙になると、安保を容認する県民は保守に投票し、安保を否認する県民は革新に投票するという構図がつくられ、結局、保守県政が続くことになっていたのである。

柳澤氏は当時、バリバリの日米安保容認派であった。そもそも防衛審議官をしていた頃、日米安保を日本防衛から極東を超える周辺事態防衛へと変質させたと評価された一九九七年の新ガイドライン（日米防衛協力の指針）策定の中心人物だったし、退職後も立場に変化はないように見えた。名古屋高裁で違憲と判断された自衛隊のイラク派兵を官邸で統括した人でもある。護憲派である私にとっては、いわば「敵」の側にいた人だ。そういう人物が、日米安保容認派のままでもいいから、沖縄の海兵隊は不要だ、だから海兵隊の普天間基地は要らないと表明してくれるなら、選挙の構図が変わることになると思ったのである。

知事選挙の結果は、予想と違わず、保守の勝利であった。しかし、その次の選挙では、日米安保容認派だが自民党から離れた翁長雄志氏（故人）が、安保廃棄を主張する共産党や社民党、社大党（沖縄社会大衆党）からも推薦を受け、普天間基地の移設と新基地建設に反対するという一致点で当選し、それが現在の玉城デニー知事にも受け継がれている。日米安保の容認か否認かを脇に置いて、普天間基地の問題で団結できないかと考え、伊波氏の著作と柳澤氏の著作を同時刊行した意図は、そういうかたちで実ったのではないかと考えている。

「憲法九条の軍事戦略」という考え方の誕生

『抑止力を問う』における対話相手の一人が加藤朗氏であった。「日本独自の安全保障を構想する」と題して、文字通り、現在の日本の安全保障政策に替わるものが必要だということが論じ合われた。そのなかで、次のようなやり取りがあったのだ。

「加藤　日本の安全保障の中において、憲法九条の位置づけをどうしたらいいだろうか。改憲派の九条を改定してより積極的に日本を防衛するのでもなく、護憲派の憲法九条を護り非武装で平和を守るという従来の考え方でもないのです。つまり改憲派も護憲派も憲法九条があるから、あれもできないこれもできないという主張をしている。そうではなく、憲法九条を所与のものとして、いったん受け止めてしまう。その上で、では九条のもとで何ができるだろうかということを考えた方が、どうも生産的ではないか」

「柳澤　確かに、憲法九条があるが故に、日本が新たな戦争の震源地にならずに済んだという意味はあるだろうと思うのです。しかし、それだけでは非常に消極的な意味なので、そこに何か、もう少し積極的な意味付けを付与しようということでしょうか。自衛隊がいろいろな国際貢献をすることも含めて、日本の軍事的な貢献を憲法からどう導き出すかみたいなことも含めて、そこは私もぜひ考えていかなければならないと思います」

「加藤　そういう、ある種の一本芯が通った日本なりの安全保障論があれば、戦略論があれば、日米同盟も変わってくる可能性がある。憲法九条に基づく戦略論をてこにすればアメリカとの関係というのも、もう少し対等で健全な関係になるのではないかと思います」

こうして「憲法九条にもとづく軍事戦略」が話し合われた。きわめてクリエイティブな提唱だと考えた私は、『抑止力を問う』の刊行後すぐに、柳澤氏と加藤氏に対して、このテーマでの新しい本をつくろうと呼びかけた。しかし、両氏が共通して述べたのは、対談のなかでそういう考えが不意に言葉になって出たけれど、憲法九条というものを深く考えたことがないので、本を執筆するような資格はないということだった。「あなたが書いたらどうか」というのが、両氏のアドバイスであった。

そのアドバイスを真に受け、必死で二年間勉強して上梓したのが、『憲法九条の軍事戦略』（平凡社新書）である。「九条」と「軍事」という、いわば絶対に相容れないものの共存を呼びかけるという点で、現在につながる私自身の原点でもある。

プロが考える憲法九条を活かした防衛政策を

『憲法九条の軍事戦略』が刊行された二〇一三年春、憲法九条は危機に瀕しようとしていた。その直前にあった総選挙で民主党政権が倒れ、安倍晋三氏を首班とする自民党政権が誕生していたからだ。その自民党は、野党時代に改憲案を公表し、改憲を現実の政治日程に載せようとしていたのである。

護憲のために自分は何をできるか。そこを真剣に考えた当時の私はまず、「九条の会」の超党派版のようなものをつくろうとした。「九条の会」は共産党系と思われているので、顔ぶれを見ただけで他の政党にも開かれていると分かるような組織が必要だと、つねづね感じていたからだ。それまでの仕事のなかで、いろいろなつながりも生まれていたので、実際に何人かに働きかけて賛同を得ていた。

ただ、そういう組織が現実に結成されたときのことを考えると、かなり躊躇も生まれる。生活を支えるための仕事もしながら、そんな組織を一人で運営できるのか。そういう躊躇だ。

それは無理だと判断した際、頭をよぎったのは、それまで培ってきたいろいろな人との出会いのことである。日本と世界の安全保障を考える上で欠かせない人びとと関係を築いてきた。そういう人びとのご協力を得ながら、護憲のために意味のある仕事ができるのではなかろうかと、真剣に考えてみた。その結論が、「憲法九条の軍事戦略」を本物にしてはどうかということだったのだ。

拙著『憲法九条の軍事戦略』はそれなりに好評で、重版もされていた。柳澤氏や加藤氏からも好著だと評価をいただいた。しかし、本のタイトルから持たれる印象とは異なり、「軍事戦略」の素人が書いた本である。「軍事」と言いながら、武器の一つも触ったことがない。そんな程度の人間がいくら「軍事戦略」を語っても、それが国家の戦略として現実味をもって受け止められるはずがない。けれども、安全保障のプロに関与してもらってつくれば、大きなインパクトがあると感じたのだ。

「憲法九条を活かした防衛政策を考える会をつくりませんか」と柳澤氏に持ちかけた。それが氏の琴線にふれたのか、ただちに了解が得られ、伊勢﨑氏と加藤氏にも働きかけようとなって、「自衛隊を活かす会」のプロジェクトが動き出すことになる。二〇一四年初めのことであった。

「自衛隊を活かす会」の誕生

このプロジェクトだが、オモテに出るまでも紆余曲折があった。例えば会の名称をどうするかでも異論が噴出する。

私が提案したのは、三氏に働きかけてきた趣旨をふまえ、「憲法九条下での防衛政策を考える会」というものだった。ところがまず、「憲法九条」を名称に入れるかどうかでもめることになる。柳澤氏が強調したのは、戦後ずっと自衛官は九条をめぐって呻吟してきたのであり、九条を支持することを踏み絵にするような名称では、自衛官の協力が限られるため、防衛政策をつくっても信頼性が欠けてしまうということだった。

そうこうするうちに、「自衛隊を活かす」ことが大事だという議論になる。防衛政策を考えるといっても、その中核となるのは、自衛隊をどう活かすかということになるからだ。一方の護憲派は自衛隊を否定しているのであって、そもそも活かす対象として捉えていないが、他方の改憲派が唱える国防軍や集団的自衛権の方向でも自衛隊は活かされないので、会の趣旨をあらわすには適切だというのが、私を除く三人の考えだった。

「九条」という言葉もなくなった上に、「自衛隊を活かす」ということになると、私の当初の構想とはかけ離れているように思えた。まだ古い護憲論に囚われていた私に逡巡がなかったかといえば、そんなことはない。しかし、よくよく考えてみれば、すでに紹介したことだが、自衛隊違憲論の内藤氏でさえ、「自衛隊員を愛す」と言ってくれているのだ。引用したように、「自衛隊と隊員を本当に活かしてやりたい」とまで述べている。この辺りが立場の異なる人々が一致してめざすべき地点かもしれない。そう思って私も決断することになる。会の設立趣意書（二〇一四年六月七日）は、以下のように目的を明確にした。

「カギとなるのは、防衛の中核となる自衛隊のあり方の方向性です。それは、長い経験の蓄積のなかで国民に支持されてきた自衛隊の存在を改めて否定する方向ではないでしょう。さらにそれは、自衛隊から一足飛びに『国防軍』となり、集団的自衛権行使に進む方向でもないと考えます。……

安全保障に唯一の『正解』はないとしても、私たちは、現行憲法のもとで誕生し、国民に支持されてきた自衛隊のさらなる可能性を探り、活かす方向にこそ、国民と国際社会に受け入れられ、時代にふさわしい防衛のあり方があると考えます。そのあり方を、具体的議論を通じて探求し、提言できるよう努力したいと願っています」

結成後の活動の概要

「自衛隊を活かす会」は、結成から七年余り、二〇回ほどのシンポジウムや研究会を開催してきた。テーマは、当初の予定通り、日本の防衛のあり方や国際貢献など多方面にわたる。途中、集団的自衛権の行使が焦点となってきたので、そこに議論を集中させた時期もある。南スーダンから自衛隊が撤退するにあたり、日本の国際貢献はどうあるべきかを議論するため、政党を対象にした円卓会議を開いたこともある（残念ながら与党の参加は得られなかったが野党からは幹事長や政審会長が出席し、議論することができた）。ここ二年ほどは、安全保障の中核的な概念と考えられてきた「抑止力」の問題で、公開・非公開の研究会で議論を重ねることになる。

議論に参加してくださったのは、国際政治を専門とする大学教員も少なくないが、特徴的なのは元幹部自衛官の多さである。幕僚長もいれば、陸将、海将、空将もいる。第一章で紹介した泥さんのようなヒラの自衛官もいる。他に、現職の防衛大学校教授もいれば、お名前は出せないが、防衛研究所の現役の研究員たちも抑止力に関する深い考察を発表してくれた。そのなかには、会の考え方と違って、集団的自衛権を支持する方なども含まれていたが、それでも政府に楯突く会に関与してみようと決断してくださったのはありがたいことである。

それらの研究と議論を通じて、これまで以下の三つの「提言」を公表している。

＊「変貌する安全保障環境における『専守防衛』と自衛隊の役割」（「提言1」、一五年五月一八日）
＊「南スーダン自衛隊派遣を検証し、国際貢献の新しい選択肢を検討すべきだ」（「提言2」、一七年四月一七日）
＊「抑止に替わる安全保障に向けて」（「提言3」、二〇年三月一日）

これら全文は、会のホームページに掲載している（http://kenpou-jieitai.jp）。シンポジウム等のうち、公開で開催したものは動画もアップしている（テキストを公開しているものもある）。関心のある方には目を通していただきたい。

本章では、それらの作業を通して、私なりに到達した考え方を書いておきたい。日本の安全を確固としたものとし、究極的に自衛隊を不要としていくには、多くの人が安全保障の大前提とみなしている抑止力の問題点に気づかなければならない。その上でさらに、どんな思想、哲学、戦略、政策が求められるのかの構想を打ち立てなければならないのである。

「神奈川新聞」での紹介記事「軍事語る護憲運動を」

なお、以上の経過と私とのかかわりが、「自衛隊を活かす会」発足直後の「神奈川新聞」（二〇一四年八月一六日）の記事になっており、会の性格を知る上でも役立つので、それを紹介しておきたい（https://www.kanaloco.jp/article/entry-50817.html）。「時代の正体」というシリーズの第一七回目であり、「語る男たち（5）」で「軍事語る護憲運動を」というタイトルが付いている。

語らずして、語る。それが役割と自任する。

東京・神保町駅近くの中華料理店。議論は続いていた。

「タイトルは『安倍政権こそ日本の最大の脅威』でどうだろう」「『これまでの護憲運動を超える』というのはどうかな」

やんわりと、しかし、言うべきことは言う。

「個人攻撃のようになるのはやめましょう」「護憲を超えて、はいいですね」

円卓を囲むのは、元防衛官僚の柳澤協二さん、国連職員として紛争地で武装解除を指揮した東京外国語大大学院教授の伊勢﨑賢治さん、防衛省の研究機関、防衛研究所の元所員で安全保障論が専門の桜美林大学教授の加藤朗さん。いずれも防衛・安保政策、国際貢献論のスペシャリストである。

　出版社の編集長としてそれぞれの著書を手掛けたことがあり、３人を引き合わせた。そうして発足をみた「自衛隊を活《い》かす：21世紀の憲法と防衛を考える会（自衛隊を活かす会）」。夜の会合は発足記念シンポジウムの打ち合わせだった。

　鶏の空揚げと野菜炒めをつまみに紹興酒の杯を傾ける。議論が脱線するたび軌道修正し、時には提案もする。

「シンポのタイトルですが『憲法９条』という言葉を入れるのはどうですか」

　ただちにダメ出しを食らった。

「憲法という言葉は若者からは遠い」「右の人も左の人も納得できる名称がいい」

　苦笑し、打ち明けた。

「つい９条という言葉を口にする。やはり、どこかで思い入れがあるからだろう」

　会の設立を持ち掛けた立場として運営を支えるが、自らは前面に出て語らない。そう決めている。

「私はかつて共産党本部で政策を考える立場にいた。いわば、従来の護憲運動を担っていた。軍事や国際貢献を語る新しい護憲運動のためには、自分が前に出ないほうがいい」

　安倍晋三首相が進める集団的自衛権の行使容認に反対して立ち上げた会ではあるが、掲げるのは「憲法解釈を変えず、自衛隊による国際貢献や防衛の道を探る」。自衛隊の廃止や縮小を求めてきたこれまでの護憲運動とは出発点が異なっていた。

・エリートコース

長崎県生まれ。父親は炭鉱労働者だったが、やがて閉山に。一家で夜行列車に揺られ、東京へ出た。だが父の働き口は見つからず、再び居を移した神戸で高校卒業までを過ごした。日本中が高度成長期に沸いていた時代、家は貧しかった。それでも父は「大学には行け」と言った。

一橋大に進学。貧しさから抜け出したいと考えていたが、社会を変え、貧しさ自体をなくそうとするマルクス主義の考えが新鮮に映った。学生運動にのめり込み、学生自治会の全国組織「全学連」（全日本学生自治会総連合）委員長を務めた。

「学生運動は下火になっていった時代で、人が集まらなくなっていた。運動をどう広げるか悩み続けた」

学費値上げ反対闘争を率い、一方で学生運動に携わる者は授業なんて出るもんじゃないという風潮に異を唱え、学生の本分は勉学であるとつづった「松竹論文」は語りぐさとなっている。「同世代から、あの松竹さんですかと声を掛けられる」

思えば、本質は何かを突き詰める姿勢は当時からそうだった。

共産党の国会議員秘書になり、40歳で党政策委員会の外交・安全保障担当に抜擢《ばってき》された。党の政策作りに携わり、気付けば党のエリートコースを歩んでいた。

やがて壁に突き当たる。

「国民の多くが自衛隊の存在を認めている。なのに護憲派は自衛隊を違憲とみなし、軍事について議論を避ける。他国から攻められたらどうするのかと問われ、自衛隊を否定する護憲派からは、対応する防衛政策が見えてこない。これでは護憲派や護憲政党への支持は広がらない」

憲法を守るには、しっかりとした防衛政策を持った護憲派が政権に就く必要がある――。2006年、共産党を「退職」。京都のかもがわ出版に入社した。

・一致点見いだし

最初に手掛けた本が防衛省の元幹部の著書だった。

タイトルは『我、自衛隊を愛す　故に、憲法九条を守る』。

われわれは日本を守るために隊員を鍛えてきた。それが海外派兵によって命を落とすようになってはならない――。軍事の何たるかを知る肉声にこそ意味があり、目指す運動の方向性があった。07年、第1次安倍政権のころだった。集団的自衛権の行使容認に向けた議論はすでに始まっていた。

アフガニスタンなどで武装解除に当たった伊勢崎さんも以前なら接点を持ち得なかった。「武装解除という行為は護憲派の中には『武力行使』に当たるという認識があったので」

柳澤さんについては「沖縄に海兵隊は常駐している必要はない」という論考が目に留まり、「元防衛官僚がここまではっきり言うとは」と驚き、連絡を取った。

現行憲法の下でできる日本らしい軍事や国際貢献の在り方。その両輪となる2人の知己を得た。

やはり出版を通じて知り合った加藤さんに言われた。

「われわれは護憲派としては素人だ。今度はあなた自身が考えをまとめるべきだ」

昨年4月に『憲法九条の軍事戦略』を出版。「護憲派は軍事というものを全否定する勢力だと思われてしまっては、主張が広がることも難しい」。一方で自衛隊の戦力は米国の軍事戦略に沿ったものとして備わっている。専守防衛の観点から見直せば、不必要なものもでてくる。そこに左右の立場を超えた一致点の鍵を見いだす。

今年6月に出した『集団的自衛権の焦点』では集団的自衛権行使の論拠として安倍首相が持ち出した議論を「リアリティーがない」と断じた。「右か左か、立場や考え方は関係ない。自衛隊が海外に行き人を殺すのはおかしいという思いは、多くの人に共感してもらえるはずだ」

6月7日に都内で開かれた自衛隊を活かす会の発足記念シンポジウム。柳澤さん、伊勢崎さん、加藤さんが登壇し、自衛隊のOBが国際貢献の現場での思いを語った。自身は受付で来場者の案内に専念していた。

「壇上で語ることはなくても、シンポジウムに来た人に、私の思いは伝わっているはずだと思う」

春に大学を卒業した長男に言われたことがある。

「お父さんは共産党っぽくないと前から思っていたんだ」

大学では伊勢崎ゼミに学び、報道メディアの道を選んだ。やはり伝える立場に進んだことがうれしかった。

「自衛隊を活かす会」の発足は、メディアからもそれなりに注目された。例えば、「サンデー毎日」に連載されている倉重篤郎氏の「サンデー時評」(二〇一七年二月一二日号)に、「元日本共産党安保外交部長　松竹伸幸氏が語る自衛隊の活かし方」と題して、四ページにわたるインタビュー記事を掲載していただいたこともある。そこでは「自衛隊を活かす会」を紹介しつつ、最後に次のような記述がされている。

「柳澤、松竹両氏の、ある種運命的な組み合わせの意義もそこに見たい。政権中枢で対米従属を実体験した元官僚と、それを理論的に解明しようとしてきた野党の元安全保障政策責任者がどこで交わるのか。そこに何らかの政策的イノベーションが生まれる余地があるのか。今後も注目したい」

2 新時代の専守防衛の神髄は核兵器抜きの抑止

石破茂氏、山崎拓氏など防衛専門家からの反響

「自衛隊を活かす会」は、三つの提言を発表し終えたあと、何年間かにわたる安全保障研究を総括するため、二〇二〇年春に一冊の本を刊行した。『抑止力神話の先へ——安全保障の大前提を疑う』というタイトルである。安全保障といえば「抑止力」しかないという日本の議論を憂い、その先に議論を進めたいという気持ちがあらわれている。

このような問題提起は、市民レベルでは話題になることがあっても、安全保障の専門家からは無視されるのではないかと危惧していた。専門家の世界では抑止力はそれこそ安全保障の「大前提」であり、疑うものではないのが常識だったから、そう危惧したのは当然だった。

ところが、そうでもなかった。真っ先に反応してくれたのは、なんと防衛大臣経験者である石破茂氏であった。ご自分のブログで「イージスアショアの計画停止など」というタイト

ルで記事を書いておられたのだが、そこに「なお、『抑止力神話の先へ』（自衛隊を活かす会編・かもがわ出版・二〇二〇年）は、抑止力についての頭を整理するのにとても役立ちます」と書かれていた。石破氏といえば、元防衛大臣であり、元自民党幹事長である。抑止力神話に染まっている二大勢力のなかでトップクラスだった方の発言だから、たいへん重い意味がある。

それだけではない。柳澤氏を中心として沖縄問題に関する本を出すことになり、山崎拓氏（元自民党幹事長・防衛庁長官）と柳澤氏の対談を収録するため、福岡に出向いて『抑止力神話の先へ』も贈呈した。山崎氏は、柳澤氏が約一〇年前にこの問題を提起するまで、誰もが抑止力に何の疑問も持ってこなかったことを吐露し、かねてから氏の提起を支持してきたと次のように語っていた。

「これまでは、基地ならびに米軍の存在がわが国の安全保障上の抑止力であるという解釈が常識で、そういう説明を何の疑問もなくやってきた。そういう抑止力論に対して、果たしてそうかという異を唱えたのが柳澤さんでした」「それに疑問を呈されたということは、すごく大きな一石を投じられたわけですよ。それは安保条約見直しにつながる重要な提起です」（『辺野古に替わる豊かな選択肢――「米軍基地問題に関する万国津梁《しんりょう》会議」の提言を読む』より）

立憲民主党などの野党関係者は、鳩山由紀夫氏の辺野古移設問題を抑止力肯定の立場からさんざん叩かれた記憶が抜けないのか、日本の防衛政策は変えないという立場からなかなか抜け出せないようだ。しかし、防衛専門家にとっては、「自衛隊を活かす会」の提起がストンと胸に落ちるのだろう。真面目に日本の防衛問題を考え、模索するなら、現在の防衛政策のままでいいということにはならないのだ。与野党ともに考えてほしい問題である。

冷戦時代の専守防衛はアメリカの戦略の一環であった

私なりの解釈になるが、「自衛隊を活かす会」の提言のポイントの一つは、専守防衛政策に現代的な意味付けを与えていることである。戦後の日本がずっと建前にしてきた専守防衛とは本質的に異なっているという認識だ。

戦後日本の防衛政策としての専守防衛とは、よく言われるように、アメリカが槍の役割を果たすのに対して、日本はもっぱら盾の役割に徹するというものであった。他国への攻撃力、打撃力はアメリカに頼り、日本は防衛に専念するということである。

つまり、専守防衛というのは、日本の防衛政策のうち、日本が担う部分を指しているに過ぎない。日本の防衛政策の全体は、とても専守防衛とは言えないアメリカの攻撃力と一体のものだったということである。

それを可能にしたのは、冷戦の特殊性である。アメリカを盟主とする自由主義・資本主義の陣営と、ソ連を筆頭とする社会主義陣営が対峙した状況下では、個々の国の防衛という概念は育たない。自由主義圏なり社会主義圏を守るというのが、どの国も防衛政策の基本となった。例えば、もし中東で米ソの争いが勃発すれば、在日米軍も中東に向けて出動するし、極東ソ連軍も同じだ。

だが、極東ソ連軍が中東に向かおうとすれば、日本周辺の海峡を通っていく必要に迫られる。日本の自衛隊にはそれを阻止する任務が与えられた。P3C対潜哨戒機という潜水艦を探し当てる航空機があるが、アメリカが全世界で二〇〇機しか保有しないのに、海上自衛隊は一〇〇機も運用してきた。これは極東ソ連軍の潜水艦対策を探知せよという、グローバルなアメリカの戦略の一部を担っていたということである。

しかし、自衛隊の行動範囲は日本周辺であるため、専守防衛に徹しているように見える。極東ソ連軍が中東に向かい、自衛隊がそれを日本周辺で阻止しようとすれば、ソ連は日本を重要な敵とみなし、地上軍を北海道から進行させてくることになるから、まさに日本防衛の戦いに発展する。それが冷戦期の専守防衛であって、純粋な意味での日本防衛というものではなかった。しかし、アメリカとソ連がそれぞれ勢力圏を守るために総力を挙げている状況のもとでは、日本政府にとっても、ソ連が自由世界を少しでも侵食することは許されず、アメリカ防衛(自由世界防衛)が日本防衛と一体のものだったのである。専守防衛とはそういう時代の概念だったということである。

現代の専守防衛は安保体制の見直しにつながる

冷戦が終結し、事態は大きく変わった。アメリカにとっては、事実上の支配下にある日本の自衛隊を自分の戦略に沿って使うという考え方は変わらない。しかしアメリカの戦略は、ソ連との冷戦を勝ち抜くというものから、対テロ戦争などを戦う方向に変わっていく。そうなれば、かつては極東ソ連軍と対峙するという自衛隊の役割には十分満足していたが、それが対テロ戦争にどうやって自衛隊を動員するかに変わっていく。自衛隊がアメリカの求めに応じ、インド洋上やイラクに派遣されるようになったのは、こうした変化の反映である。

つまり、アメリカの戦略下で自衛隊が動員されるのは同じことであっても、かつてはそこに日本防衛という意味があったのに、現在はそうではなくなったということだ。二〇〇三年のイラク戦争における自衛隊派兵に際して、箕輪氏が裁判に訴えてまで反対する決断をし、自衛隊は「専守防衛」であれと訴えたのは、その変化を直感的に感じ取ったからだろう。柳澤氏が当初はイラク戦争に賛成して官邸でイラクの自衛隊を統括しながら、やがて疑問を突き詰めて反省するに至ったのも、箕輪氏と同じことを実体験を通してつかんだからである。

名古屋高裁が、航空自衛隊による武装した米兵の輸送に限って違憲判決を下したのも、専守防衛の自衛隊と海外で米軍を支援する自衛隊の間には、乗り越えられない壁があると判断したからに他ならない。

この現実が示すことはいくつかある。二つにまとめよう。

一つは、専守防衛という考え方は、かつてはアメリカの戦略と一体となった防衛思想だったが、現在は異なるということだ。アメリカの戦略からの決別とまでは言えないにしても、少なくとも自立して日本の防衛を考える思想になっている。山崎拓氏が、柳澤氏の提起に対して、「安保条約見直しにつながる重要な提起」と述べたのは、それを象徴する言葉である。

もう一つは、専守防衛という考え方が、左右の一致する防衛思想になる可能性を秘めていることだ。旧来の〈自衛隊派〉のなかで、自衛隊を海外に出すことを求めるアメリカにどこまで従うかで意見は分かれても、専守防衛こそが自衛隊の本来果たすべき役割であることは大枠で一致できるだろう。〈九条派〉にしても、即時自衛隊廃止以外にないと考える人以外は、ここで一致できるのではないだろうか。

日米安保条約第五条が機能しない不安のなかで

実は、箕輪氏や柳澤氏の変化を生みだした対極にいた小泉首相も、まったく別の意味で、旧来型の専守防衛は通用しないことを、あのたぐいまれな直感で感じ取った人だったと思う。それを受けついだのが安倍首相であった。

小泉氏は、自衛隊のイラク派兵を表明した記者会見で、なぜ派兵を決断したかの理由について、日本が攻撃されたときに助けてくれるのはアメリだけだからと説明した。これは別の角度で捉えると、自衛隊を派兵しない限りアメリカは助けてくれないということであり、それまでのように無条件でアメリカが助けてくれる時代は終わったと言っているようなものであった。

安倍氏も、集団的自衛権の一部容認の閣議決定から新安保法制の成立に至る過程で、同様の発言をレベルアップしてくり返した。イラク戦争のときのように後方支援にとどまらず、アメリカが攻撃されたときは自衛隊が武力を行使して助けるようにならないと、日米同盟は機能しないのだと強調したのである。

ここには、日本が武力攻撃された際にはアメリカが助けてくれるという日米安保条約第五条の定めが、現在ではすでに成り立たなくなっている現実の反映がある。冷戦時は自由世界全体を守るのがアメリカの基本的な考え方だったから、日本を守るのもその一部であって当然だったのだが、いまやそこが自明ではなくなったのだ。最近の日本の首相が、就任して最初の日米首脳会談で、何よりもまずこの第五条が尖閣に適用されるかを確認することを最優先事項としていること自体が、日本政府が底知れぬ不安を感じていることをあらわしている。

ではアメリカは、自衛隊が集団的自衛権を行使して米軍を助けるようになれば、万が一の際には日本を助けてくれるのか。あるいは日本はより安全になるのか。そうではないことを、最近、インド太平洋軍のデービッドソン司令官（当時）が、上院軍事委員会の公聴会で証言した（二一年三月九日）。

同司令官は、「通常戦力による対中抑止力が崩壊しつつあり、米国および同盟諸国にとって最大の危機となっている」として、「今後六年間のうちに中国が台湾に軍事攻撃を仕掛ける恐れがあるとの認識を示した」そうである。そして、次のように述べたとされる（産経新聞二一年三月一一日付）。

「中国の周辺で武力紛争が発生した場合、米海軍が米西海岸をたって、沖縄とフィリピンを結ぶ『第一列島線』に到達するのに約三週間かかると指摘。それまでは、敵前上陸能力を含む高度な戦闘能力を有する自衛隊への期待を表明した」

台湾有事に備えて、自衛隊は「敵前上陸能力」をさらに向上させろというのだ。そして、米本土から来援部隊が到着するまでの三週間、自衛隊が中国軍と戦えというのだ。これは、少なくとも三週間、日本が中国のミサイルの標的となり、戦場となって多大な犠牲を生み出す道である。果たしてそんな方向が国民の合意するところになるのだろうか。

冷戦時代特有の抑止力を考え直さなければならない

これに対して、「自衛隊を活かす会」の三つの提言が何を示しているのか。私なりに四点に整理してみたい。それを貫くものは、本節のタイトルにある通り、「新時代の専守防衛の神髄は核兵器抜きの抑止」ということになる。

第一。抑止力からの決別、あるいは抑止力一辺倒の思考からの脱却である。

アメリカの戦略概念としての抑止力は、核兵器の誕生とともに生成してきた考え方だ。相手国を壊滅できるだけの兵器を持っていることを見せつけ、それを使う意思も持っていることも伝えることによって、相手が侵略してくるのを抑え止めるというのが、抑止の基本である。

これは、米ソがお互いに強大な核兵器で対峙していた時代は、お互いが滅びることを恐れて手を出さないという点で、それなりに意味のあった考え方だったかもしれない。では、この概念は、米中対決の時代にもふさわしいのだろうか。

冷戦時代に相手を壊滅させる抑止力概念が通用したのは、お互いが相手のことを共存できないと認識したからである。経済的にも（市場経済か計画経済か）、政治的にも（民主主義か一党支配か）、イデオロギー的にも（自由主義か共産主義か）相容れないが故に、軍事的に抑止戦略をとり、抑止が破綻して戦争になった場合、相手を全滅させる結果になっても構わないと考えたのである。

現在の中国も、政治的、イデオロギー的には相容れない相手である。しかし、経済的にはお互いを必要としあう関係になっており、滅ぼしていい相手ではない。また、冷戦時代においては、主要な国にはそれなりに強力な共産党が存在しており、ソ連と呼応してソ連流の政治、経済、イデオロギーが西側を覆い尽くす可能性に西側の指導者が脅えた面があった。だから、西側の指導者にとって、共産主義はリアルな恐怖であった。けれども現在、各国にはそんなことを心配させるような共産党は存在していない。どの政治勢力にとっても、中国流の政治やイデオロギーは信奉する対象になっておらず、それが世界的に普遍化するようなことは想像もできない。

それならば、冷戦時代特有の抑止力を考え直し、新時代にふさわしい防衛戦略を練り上げるべきだろう。それができないのは防衛関係者の怠慢である。

侵略者を拒否するという点での抑止は当然である

第二。抑止力に替わる専守防衛は、多少でも侵略を容認することではない。

もし日本の領土、領海、領空を脅かす勢力があらわれれば、断固として拒否して追い返す。その決意を内外に明らかにし、そのための必要な防衛力を整備することによって、相手がそのような行為に出て来ることを抑え止めるべきである。その範囲に限っていえば、抑止することでもある。

抑止（deterrence）とは、語源から言うと、フランス語の「terreur（テルールと読む）」から来ており（英語の terrible〈怖い〉もここから来ている）、フランス大革命時の恐怖政治を指す言葉である。反対勢力にギロチンの恐怖を与えて権力を維持するやり方だ。それが核兵器の登場とともにアメリカの戦略概念になったのは、核兵器の本質をよく言い表すものだ。

一方、抑止はこれとは別に、その言葉通り、相手の軍事行動を「抑え止める」という意味を持つ。相手の軍事行動は抑えることが可能だということは、戦争にはしないことが目標に置かれているのだ。そのためにこちらの側からも武力を行使しないで、武力による威嚇によって目標を達成するというわけである。「自衛隊を活かす会」の研究会に参加した防衛研究所の方が、アメリカの基本戦略が積極的な武力行使ではなく、抑止にとどまっていたことには肯定的な面があると述べていたが、確かにそのような要素はあるだろう（実際には抑止ではなくたびたび先制攻撃に出たことは措くとしても）。

専守防衛とは、これまでの抑止戦略が想定しているように相手を壊滅させるような反撃をするものでもなく、そのための防衛力も持たない。あくまで侵略を追い返すだけの戦力を持ち、相手国にもそれを理解させるものである。これまでの抑止と同様、相手を壊滅させれば二度と再び脅威にならないと考える人には、専守防衛は生ぬるく映るかもしれない。けれども逆に、相手を壊滅させる能力と意思を明確にすればするほど、相手もそれに負けまいとして軍事力を強化することにもなる。これに対して「専守防衛」は、相手が手を出してこない限り、こちらから先に攻撃をしないのだから、軍事衝突に至らない段階で交渉で問題を解決する可能性も広げることになる。専守防衛は対話とセットになり得る戦略でもある。

「核を使用しない」を加えた非核四原則の提唱

第三。専守防衛は、抑止力の中心概念である核抑止を拒否するものでもある。理由は三つある。

一つには、防衛政策の前提となるべき道義性の問題だ。「アメリカの核の傘に入る」という言葉がある。この言葉は、日本の上に傘がふんわりとかかっていて、その下にいる日本は安全だというようなイメージを与えるが、実際はそんな生やさしいものではない。この傘は実際には相手を滅ぼす鋭い槍であって、それを相手に突き付け、相手が意のままにならないなら、その槍で何回でも突き刺すことを意味している言葉である。しかも、日本が核の傘に入るということは、万が一の際は、日本がアメリカに対して「核兵器の槍を相手に突き刺してくれ」と頼むことである。唯一の戦争被爆国であり、原爆の惨禍を知り尽くした日本国民が、そんな道義性に欠ける戦略を果たして採用していいのか。

二つ目は、一つ目とも関係するが、核兵器の非人道性は、いまは全世界的な問題になっていて、使ってはならない兵器であることが次第に明確になっているからである。一九九六年、国際司法裁判所が勧告的意見を公表し、核兵器の使用や威嚇は国際法に「一般的に違反する」と明確にした。「国家の存亡そのものが危険にさらされるような、自衛の極端な状況」での判断は留保したが、これもあくまで「自衛の極端な状況」のことであって、他国を防衛するために使用することは違法なのである。さらに、二〇一七年には核兵器禁止条約が採択され、二一年には発効することになり、核兵器を使うことはますますあり得なくなっている。

三つ目。実際には使えない兵器を防衛戦略の中心に位置づけることは、現実の防衛に必要な問題を探求することの障害となる。いざとなったらアメリカが核兵器で助けてくれるということに慣れきってしまえば、専守防衛で侵略を排除することへの努力を怠ることになるのだ。しかも、実際には核兵器で守られることはないのに、守られるという幻想によって、アメリカに対する依存、従属状態が継続することになる。対米自立のカギは、核抑止からの脱却だ。非核三原則（製造しない、保有しない、持ち込まない）を発展させ、「使用させない」を加えて四原則化することのほうが大事である。

中国にどう対応するか、米中対決のなかでの立ち位置をどうするか

第四。日本の安全保障にとって決定的に大事な中国への対応の問題である。

中国はすでに東アジアではアメリカに対抗できるだけの軍事力を築きつつある。国力の衰えが想定される何十年後かは別にして、当面は、世界規模でも米中対立が焦点となり、日本は冷戦時代と同様、その対立の最前線に立っている。そして中国は、尖閣や南シナ海での行動を見ても分かるように、現状を力で変更しようとしている。

一方、日本の軍事力は、どうあがいても大国に対抗できるものにはならない。不安にかられて身の丈に合わない目標を立てると、かえって国力を疲弊させることになる。軍事大国でない日本にとっては、足りない軍事力をどこで補うか――これまでのようにアメリカで補うのか、別の手段に頼るのか――が、安全保障を考える大事な要素となる。

いざ尖閣をめぐって戦争となれば、アメリカが無人島のために犠牲を払うことはあり得ず、日本自身が頑強に抵抗し、侵略を跳ね返すのが当然である。その気概を持つことを抜きにして、日本の安全に責任を果たすことはできない。

同時に、いったん戦争になってしまえば、軍事力に勝るほうが優位に立つのは目に見えている。尖閣を奪われた場合、それを奪い返す作戦を敢行するのは当然だが、そのくり返しが果てしなく続く道は避けなければならず、どこかで外交決着に持ち込まなければならないが、

その役割を果たせるのはアメリカしかいない。そのことを考えても、尖閣防衛の軍事作戦をアメリカに頼るのは、仲介者を失うことであって適切ではない。

日本がとるべき道は、相手の戦争する能力を打ち砕けないならば、戦争する意思を低減させることを中心とするべきだ。そのためにも、専守防衛に徹して、日本の側から先に手を出さないことを、中国にも世界にも理解させ、尖閣などの紛争問題は常に話し合いを続けることが肝要となる。話し合いが破れることがあっても、日本側が破ったのではないと世界に理解してもらえるように行動し、外交上の決着が有利に推移するよう努力すべきだ。

それとは逆に、米中対立のなかで日本がとるべき道は、台湾の武力解放を公言する中国を全面的に批判する立場に立ちつつ、軍事面での争いを起こさないことが基本である。中国に対しては、台湾の武力解放というのは、自由と民主主義を体験した一〇〇〇万もの人々を中国への恨みを抱えたまま内部に置くことになり、古くから議会制の発達したドイツを勢力圏に抱え込んだことがのちにベルリンの壁崩壊からソ連の解体につながったように、やがては中国の消滅に導くことを理解させるべきだろう。

アメリカは現在、台湾問題に日本だけでなくイギリス、フランスまでも巻き込み、軍事的な包囲網をつくろうとしている。しかしこれは抑止力の観点からすれば間違いである。かつて中国に領土的な野心を持ち、領土を侵食した張本人である日本、イギリス、フランスの介入は、中国の民族的なルサンチマンを燃え立たせ、かえって武力解放の口実を与えるだけである。武力解放への国民的な支持さえ生み出してしまう。歴史的にそのような道をとらず、中国を助ける側に立った実績のあるアメリカの軍事的な対応は抑止力になりえるのだから、アメリカは堂々と独力で対応すべきだ。

さらに言えば、アメリカによる軍事力行使は、中国の中距離ミサイルによる日本や極東の米軍基地への報復攻撃となるのであって、アメリカ本土は無事であっても、日本は無傷ではいられない。日本がアメリカに軍事協力をすることは、先述したアメリカ軍司令官の発言のように、米本土から来援が来るまで（来るとしてだが）、三週間にわたって日本が戦場となり、壊滅する道を辿ることを意味する。日本とアメリカの利益は同じではないのだ。それならば、尖閣問題では日本が自力で立ち向かってアメリカに仲介者の役割を期待するのとは逆に、台湾問題では日本が仲介者の立場に立つようにすべきであろう。

自衛隊の海外派遣の問題で選択肢を提示する

最後に自衛隊の海外派遣の問題である。この問題では三つの選択肢を提示し、国民的な議論を通じて合意を得ようという立場である。

一つは、日本が戦後ずっと重視してきた暮らしや医療、教育にかかわる支援こそ、もっとも大事になっていることである。すなわち自衛隊派遣ではなく、政府、企業、民間ＮＧＯなどによる支援が優先されるべきだ。

「自衛隊を活かす会」は、目の前で大量虐殺が行われるような局面で緊急避難的に武力行使が求められる場合があることは否定しないが、軍事力の役割はそこにとどまるものだ。自衛隊を使ってアメリカ主導の秩序を守ることは、テロの悪循環を招くだけである。

紛争地においても、暮らしや医療、教育にかかわる支援に徹することにより、紛争当事者の信頼を獲得することができる。それを通じて、紛争の対話による解決を促す上でも、日本は大きな役割を発揮することができるだろう。

二つ目は、自衛官個人を国連の軍事監視員として派遣することである。これは第一章で述べたことと重なるので、ここでは詳述しない。

三つ目。これまで自衛隊の施設部隊をＰＫＯに派遣していたが、それをどう考えるべきか。よく知られているように、かつてのＰＫＯは、紛争当事者の停戦合意が結ばれ、部隊を受け入れる合意がなされた場合、当事者に中立的な立場をとって派遣されるものであった。しかし現在、それでは虐殺を防げないとして、住民保護のために交戦も辞さない方向に舵を切っている。先制攻撃することさえ容認されているのが現状だ。

そのようなＰＫＯに自衛隊を派遣する場合、本格的な武力行使の体制が必要となる。それ抜きに、自衛隊が任務を果たすことはできないし、他国の部隊にも迷惑をかけることになる。

さらには、ＰＫＯが交戦主体になる結果として、民間人を傷つけることも想定されるようになり、国連はそういう場合に法に基づく処罰を行うことを求めている。ところが、次の節で詳しく論じるように、日本は自衛官が海外で犯罪を犯したとしても、日本で裁く法体系を持っていないのである。

そういう状況下では、自衛隊の海外派遣は行ってはならない。もし国民世論がそれを求めるとしたら、本格的な法整備と、武力行使を厭わない装備、訓練等が必要となってくるであろう。

3 国際刑事法典を日本で制定すべきである

〈自衛隊派〉と〈九条派〉が協力して実現しなければならないのは、防衛政策の立案だけではない。探し出せばいろいろ出てくるのだろうが、少なくとも一つ大事な問題があることを指摘しておきたい。

自衛官が海外で人を轢き殺しても裁けない

私は現在、伊勢崎賢治氏らとともに、あるプロジェクトを進めている。国際人道法に違反する行為を日本人（もちろん自衛官も含めてだ）が犯した際、それを裁くことのできる法律をつくるプロジェクトである。そのため二〇二〇年四月、「国際刑事法典の制定を国会に求める会」（代表＝伊勢崎氏）を結成し、私は事務局長を務めている。その刑事法典の要綱は、すでにホームページで公開している（http://kokusaikeijihou.org）。要綱発表に際して国会でシンポジウムを開催したが、自民党、立憲民主党、国民民主党、れいわ新選組から国会議員が、共産党からも書記局員が参加した。

「日本は法治国家だから、そんな法律はすでにあるだろう」と多くの人は考えるに違いない。それは正しくもあるが、間違いでもある。

最初に「間違い」について言うと、例えば、ＰＫＯで海外に派遣された自衛官が自動車を運転中、誤って民間人を轢き殺してしまったとして（業務上過失致死罪にあたる）、裁かれるかどうかご存じだろうか。答えは「裁かれない」である。

まず、派遣された現地では、国連が現地政府と地位協定を結んでおり、ＰＫＯ要員はどんな場合であれ現地の裁判権に服さないことになっている。日米地位協定の不平等性が叫ばれるが、在日米軍の兵士が日本人を轢き殺した場合、公務中であればアメリカが、公務外であれば日本が裁判できるので、PKO地位協定の不平等性は日米地位協定どころの話ではないのである。

現地の裁判は免れても、日本に戻して裁かれるのだろうか。そうではないのだ。日本の刑法では、日本人が海外で過失で人を殺した場合、処罰する根拠規定（国外犯処罰規定という）がないので、結局、自衛官はどこでも裁かれないのである（日本の民間人の場合は免責するための地位協定のようなものがないので現地で裁かれる）。

他にも問題がある。自衛官が銃の引き金を引くのは、当然、上官の命令があったときのことだ。その命令が間違っていて、誤って民間人を殺した場合、上官が裁かれるのが普通だろう。ところが、日本の刑法では、あくまで実行行為（この場合は発砲行為）をした者が正犯として裁かれる。命令した上官こそ責任を問われるべきなのに、上官は裁かれるとしてもせいぜい「共犯」にしかならない。日本の刑法では、こんな不自然なことがまかり通っている。

ジェノサイドに対応する概念が刑法に存在しない

次に、「正しくもあり、間違いでもある」例である。さすがに、ジェノサイドや戦争犯罪など日本が批准している国際刑事裁判所（ＩＣＣ）規程に定められた国際人道法違反の罪を自衛官が犯せば、たとえ地位協定で現地の裁判権が免除されても、日本では裁かれるのが基本である。そのはずである。

なぜなら日本は、武力攻撃事態法を可決した際（二〇〇四年）、「国際人道法の重大な違反行為の処罰に関する法律」をつくった。その三年後、「国際刑事裁判所に対する協力等に関する法律」も制定し、「国際社会全体の関心事である最も重大な犯罪」を裁くことを明確にした。

しかし、「国際人道法の重大な違反行為の処罰に関する法律」という仰々しい名前の法律を見ると、裁く対象になっている罪は、以下の四つに過ぎない。「重要な文化財を破壊する罪」、「捕虜の送還を遅延させる罪」、「占領地域に移送する罪」、「文民の出国等を妨げる罪」である。これらについては、国外犯処罰規定の存在しない先ほどの業務上過失致死とは違って「国外犯を処罰する」とされ、海外で犯した場合でも、日本の裁判の対象になるとされる。けれども、人道法で裁かれるべきは、ジェノサイドなどまさに重大な犯罪であり、「国際人道法の重大な違反行為の処罰に関する法律」と言いながら、なぜか重大な違反行為が対象になっていない。捕虜の扱いにしても、「送還を遅延させる」のはもちろん犯罪だが、殺害や虐待こそが問題だろう。

このちぐはぐさの真相は、いったいどこにあるのか。それは、新しく法律をつくらずとも、「ほとんどのものが我が国の刑法等により処罰が可能」（外務省ホームページ）であるからというところにある。

「それなら安心」と思われるかもしれないが、「ほとんどのものが」とあることに注意してほしい。「全部」ではないのである。日本も批准した国際刑事裁判所（ＩＣＣ）規程などで規定されている犯罪行為は多岐に渡っており、かつその行為は日本の刑法で定義されるものとまったく同じというわけではない。例えば、ジェノサイド（集団殺害犯罪）は、その行為だけを見れば、刑法上の概念である「殺人」を大量に犯したのと同じように見える。だから、日本人がジェノサイドを犯したとして、罪から免れることはあり得ない。

しかし、ジェノサイドとは、人を大量に殺すという言葉で表現できるような罪ではない。ＩＣＣ規程で定められた要件では、「集団殺害」であることにくわえ、「その（民族的）集団自体を破壊する意図をもって」いるかどうかが重要な要素なのである。日本の刑法はそういうものを想定していない。だから、罪を犯した人が、「その（民族的）集団自体を破壊する意図をもって」いたかどうかは、日本の裁判所が判決を下す際の基本的な要素にならない可能性がある。

国際法が規定する犯罪行為を列挙して刑を定めるような新規立法をつくっておけば、日本政府も「全部」を裁く法律だと胸を張れたのである。ところが、日本の刑法に規定のないことがあまりに明白な四種類だけをとりあげて立法化し、それ以外は既存の刑法でやっていくと判断したために、「全部」を裁けるのかに自信が持てなくなってしまった。「ほとんど」という解説は、その結果である。条約に規定された全部の行為を裁く新規立法をつくらないと、国際人道法に対応する国内法を制定したとは言えないということだ。とりわけ日本では、特定の民族を排撃する風潮も残っており、立法化の議論を通じて国民世論を高める必要がある。

改憲派も護憲派も見過ごしてきた問題

自衛官による過失致死が裁かれない、人道法違反を犯しても裁かれない可能性がある――。このことを数年前から熱心に取り上げ、問題提起したのが、他ならぬ伊勢崎氏であった。それまで他の人が主張したのを聞いたことがない。

氏がなぜこれに気づいたかといえば、やはり戦争の現場で、軍隊を動かした経験があるからだろう。さらに、その結果として犯される人道犯罪が何をもたらすかを、誰よりも知っているからだ。

例えば伊勢崎氏が県知事としてＰＫＯを統括していた東ティモール。ＰＫＯは正当防衛のために武器を使用するのが原則であったが、伊勢崎氏は、統括下にあるＰＫＯ要員二人（ニュージーランド人とネパール人）が併合派民兵に殺害された際、武器の使用基準をゆるめるという決断を下すことになった。そういう決断をせざるを得ない地位にあるから、その結果として犯罪が行われた際、責任もとらなければならない。だから伊勢崎氏は、戦争犯罪というものに敏感になるのだ。

自衛隊の海外派兵が恒常化した現在、本来、自衛官が犯すことになるかもしれない犯罪に誰もが敏感になる必要がある。犯罪を犯せば裁かれることが明確でないと、どの国もPKOを受け入れなくなる。

いや、これは海外派遣だけの問題ではない。上官命令で自衛官が発砲したが、民間人を殺してしまって犯罪になるというケースは、日本防衛の際にも起こりうる。自衛隊が専守防衛に徹するということになっても、法律の整備は不可欠なのだ。

ところが日本では、政治的立場の左右を問わず、このことが見過ごされてきた。一方の改憲を進める側は、「改憲しても何も変わらない」ことで支持を得ようとするため、自衛隊が人道法違反を犯すような可能性があることを隠そうとする。他方の護憲派は、「海外派兵をしなければ済むことだ」として、この問題を考えようともしなかった。自衛隊をめぐる改憲派と護憲派の争いのなかで、大事な問題が見過ごされているのだ。

〈自衛隊派〉と〈九条派〉がこの問題でも一致してほしい

〈自衛隊派〉のなかでは、軍隊を否定する九条があるからこんな問題が起こるのであって、九条を変えれば解決するのだという立場もあるだろう。普通の国のように軍隊の保持を明確にし、軍法会議をつくれば解決するというものだ。

確かに、軍事を忌諱する戦後日本の風潮が、この種の問題と真剣に向き合うことを避ける傾向を生んだことは事実だと思う。しかし、ＩＣＣ規程の批准にあたって政府がこの問題に取り組まなかったのは、憲法九条を尊重したからではなく、戦前から延々と続く刑法体系を大幅に変えることに躊躇したからに他ならない。また、日本で軍法会議が設置できないのは、九条とも関係があるにしても、直接には「特別裁判所は、これを設置することができない」という憲法七六条によるものであって、何でもかんでも九条のせいにするのは良くない。

逆に、〈九条派〉のなかにあるのは、「自衛隊をなくせばそんな問題は起こらない」という考え方かもしれない。あるいは、自衛隊に関する法律や制度をつくることは、自衛隊を固定化し、永久化することであって、そういうことに加担できないということだろうか。

けれども、人道法違反は、軍隊（自衛隊）だけが主体となるわけではない。ルワンダでは普通の人びとが斧を使い、別の民族集団を破壊する意図を持って、一〇〇万人の虐殺を行った。戦争をしないと誓い常備軍を持たないと憲法で規定したコスタリカでも、他国から攻められれば戦争になることを想定し、国際人道法違反を裁く法体系がある。

国際法上の権利があっても、ある国がそれを否定することはあり得る。自衛権は国際法上は認められるが、日本国憲法でそれを否定するというような場合である（憲法が自衛権を否定しているかどうかでは争いがあるが、ここでは深入りしない）。しかし、権利の場合はそういうケースがあったとしても、国際法上の義務を各国が勝手に免除することはできない。人道犯罪を犯しているのに、憲法で軍隊を持たないと決めているからとして、犯罪を裁く義務は履行しないなどということはあり得ない。自衛隊が存在するかしないかに関わらず、国際人道法違反を裁く法体系は必要なのである。ましてや、自衛隊が存在している限り、自衛隊が犯す犯罪に対処する法律と制度は不可欠だ。

伊勢崎氏は、かつて丸腰の自衛官を停戦監視要員として派遣することを提案していたが、この種の法律が存在しないままでは、どんな場合も自衛隊を海外に派遣すべきではないと訴えている。ジブチをはじめ海外にいるすべての自衛隊を帰国させるべきだと主張している。〈自衛隊派〉と〈九条派〉はこの問題でも一致してほしいと私は願っている。

第三章

歴史認識でも左右の対話と合意が不可欠な理由

私には専門分野と呼べるほどのものはないが、どの分野の本を書いてきたという角度で見ると、安全保障や日本外交にかかわることに関心が強かった。一方、自分のブログである「超左翼おじさんの挑戦」では、日々生起する政治、社会問題を取り上げてきた。当時も現在も、政治社会の問題で中心を占めてきた一つは日韓関係に属することであり、いきおいブログで取り上げる回数も増えていた。そこに注目してもらえたのか、小学館の編集者から、慰安婦問題で本を書いてみないかと打診があったのだ。その誘いにうまうまと乗ってしまい、二〇一五年に本を刊行したのだが、それが歴史認識の分野でも左右の対話を試みるきっかけになるとは、当時はまったく自覚していなかった。

1 慰安婦問題での左右の対話の経験と教訓

『慰安婦問題をこれで終わらせる。——理想と、妥協する責任、その隘路から。』——これが本のタイトルである。ずいぶん気張っているなと思われるだろう。何十年も対立が続く慰安婦問題を終わらせようというのだから。ただ、門外漢ではあっても慰安婦問題での対立を心配しながら見てきた私の目には、左右両派がそれぞれ理想として掲げる主張を見ると、確かにお互いに相容れないところがあるのは分かるが、狭く険しくとはいえ、どこかに一致できる道筋はあると思えたのだ。執筆を引き受けたのは、その道筋を見いだす責任が、主として左翼の側にあると感じたからである。

河野談話の評価は右も左も逆転させてきた

慰安婦問題での対立が、決して固定的なものでなく変化しうるものであることは、私には自明であるように思えていた。それは、慰安婦問題でいつも議論になる河野洋平外務大臣談話（一九九三年八月四日）に対する評価を、左右の勢力がともに大きく変えてきたことでも明らかだった。

河野談話と言えば、現在、右の人たちからは忌み嫌われている。この談話で日本の責任を認めたせいで、韓国が増長して日本を批判するようになり、次々とカネを寄越せと要求するようになったし、諸悪の根源だという認識だろう。他方、左の人にとっては、日本の責任を認めた崇高なもので、これをその後の日本政府が大事にしないから、慰安婦の方々が傷つけられ、日韓関係が膠着するというものだ。

しかし、河野談話が出された当初は、この認識は逆であった。左翼は全否定し、右翼は容認していたのである。

まず左派の側である。社会党は、戦後補償対策特別委員会（委員長は故土井たか子氏）が会見を行って談話を発表したが、そこでは「政府の犯した戦争犯罪としての反省が全く欠けている」という厳しい態度表明がされていた（東京新聞八月五日）。共産党の機関紙「赤旗」も翌日の「主張」（社説にあたる）で、「天皇政府・軍部による国家犯罪を執ように隠ぺいする政府の態度は基本的に変わっていない」と批判を浴びせていた。現在の共産党は、日本政府に対して「『河野談話』が表明した『痛切な反省』と『心からのお詫び』にふさわしい行動……をとることを強く求める』（志位和夫委員長、二〇一四年三月一八日付「赤旗」）という立場だから、大逆転である。

他方の右派はどうか。政府が出した談話だから自民党の合意を得たものであることは当然だが、メディアに目を向けても、まず右派と目される読売新聞も翌日の「社説」で次のように容認している。

「広い意味とはいえ、『強制性』があった以上、その意に反して慰安婦とされた女性たちの苦痛と恥辱は計りしれまい。彼女たちの名誉回復のためにも、事実を公表したのは当然のことだ。河野官房長官が『心からのお詫び』と反省の意を表明したのも当然だ」（読売新聞）

産経新聞も「主張」（これも社説に当たる。「赤旗」と同じなのが、政治的立場は違ってもとんがり具合が同じでおもしろい）で持論を展開した。さすがにタイトルは、「すべてが『強制』だったのか」と、苦言を呈する姿勢を示している。しかし、冒頭で「改めて戦争が女性に強いた惨禍に胸が痛む」と述べるとともに、宮沢首相（当時）が韓国で表明した「衷心よりおわびと反省の気持ち」という言葉を引きつつ、「（その同じ）言葉を繰り返す以外にない」として、補償する立場ではないが「民間主導でかつての慰安婦に誠意を示すことは大賛成だ」と結んでいる。

ガラス細工のように精密な構造を持つ河野談話

以上示した「逆転現象」をどう思われるだろうか。河野談話が出された九三年の時点で、もし左派の側が談話の立場に多少なりとも理解を示していれば、少なくとも日本のなかでは合意ができたと思わないだろうか。

右の人たちも含めおおかたの国民が合意できる道筋を左の側から提示する責任がある――。河野談話から二二年も経過した二〇一五年の時点で、私がそう考えたのは、このような経緯があったからだ。その道筋のカギとなるのは、左右が評価を逆転させた河野談話の神髄を、どうしたら正確につかめるかにあると考えた。河野談話は、左右の妥協を可能にする意図をもってつくられたものであり、ガラス細工のような緻密さをもっていた（だから壊れやすかったとも言えるが）。何点かあげよう。

談話は、社会党や共産党が批判的に指摘したように、慰安婦問題を「国家犯罪」と位置づけてはいない。日本政府は、他の欧米の宗主国と同様、植民地支配は合法的に行われたという立場なので、日本の法律が内地と同様に適用された結果として生じた慰安婦という制度を犯罪とみなさないのである。しかし、だからといって談話はそれを合法だと居直ったものではなく、慰安所が軍の要請でつくられ、軍が管理運営にあたったことなど、「当時の軍の関与の下に、多数の女性の栄誉と尊厳を傷つけた問題」だとしている。その上で、「数多の苦痛を経験され、心身にわたり癒やしがたい傷を負われたすべての方々に対し心からお詫びと反省の気持ちを申し上げる」としている。

最大の争点となったのは「強制連行」問題だった。談話は、一方では、「軍による強制連行」という国家犯罪に直結する用語は使っておらず、「軍の要請を受けた業者」による「募集」だったことにとどめてはいる。けれども、「その募集、移送、管理等も、甘言、強圧による等、総じて本人たちの意思に反して行われた」として、本人側の視点に立てば「意思に反し」たものだと認定したのである。

要するに、社会党や共産党が批判したように、慰安婦の問題を国家犯罪とみなしてはいないし、したがって日本の法的責任も認めていない。しかし、その一点だけを除けば、軍の関与を認めた点でも、当事者に対する配慮した言葉遣いの点でも、かなり踏み込んだ内容だったのである。実際、韓国外務省も、談話公表時に記者会見を行い、「『我が国政府の意見を相当水準反映したものだ。今後、この問題を両国間の外交問題にしない』と言明した」（毎日新聞八月五日）ほどである。

「法的責任」という難しい問題

ところが日本の左派は、慰安婦となった方々に償い金を支払うための「アジア女性基金」が河野談話をふまえて設立されると、さらに反対運動を活発化させた。韓国においても、運動団体である挺対協（韓国挺身隊問題対策協議会。現在は、日本軍性奴隷制問題解決のための正義記憶連帯〈略称は正義連〉と名称変更）が猛反対し、元慰安婦の方々に償い金を受け取らないように強く働きかけた（それでもあれだけの反対運動のなかで三割の元慰安婦が償い金を受け取ったことは記しておきたい）。こうして、河野談話にもとづく解決策は、もろくもつぶれ去ったのである。『慰安婦問題をこれで終わらせる。』の執筆過程で、私はソウルに挺対協が設立した人権博物館を訪ねたが、館内で流れるアナウンスは、その時点においてさえ二二年前の河野談話をとりあげ、「日本の法的な責任を回避する談話だ」と強く批判していた。

日本が慰安婦の制度をつくり、運用していたことは、日本国の法的責任を生じさせる犯罪と言えるだろうか。現在の時点で、そのような制度をつくれば犯罪となることは、あまりにも明白である。さらに、女性を慰安婦にするために強制連行していたら、当時もすでに刑法に規定されていた「国外移送目的略取・誘引・売買罪」(第二二六条)にあたる。

しかし、朝日新聞のいわゆる吉田証言をめぐる一連の報道でも明らかになったように、国家によるその種の強制連行の証拠が見つかっていない(見つかっていないというより、日本の法制度の下にあったので、いわゆる奴隷狩りのようなことをする必要がなかったというのが正しい)。また全体として、当時の慰安婦制度は、日本の国家が日本の法律のもとで公認してつくったものであるが故に、合法性のよろいをまとっていた。日本が批准していた各種の条約(奴隷条約や強制労働に関する条約)に違反するから法的責任があるとする議論もあるが、当時、国内法より条約が優先するという法的規範は存在しなかった。朝鮮半島出身者と同様、慰安婦とされた日本人女性も癒やしがたい傷を負っただろうが、それらの女性が犯罪として日本国家を告発しないのは、そうした事情がからんでいる。

朝鮮半島の女性も当時は日本人であったから、形式的・法律的に見れば、その同じ枠内にあった。だから、日本の法的責任を問うことには、高いハードルが立ちふさがるのだ。

とはいえ、日本の敗戦とともに独立した朝鮮半島の女性が、自分は日本人ではないという自覚を持つ過程で、慰安婦となった過去を二重三重の悔恨をもって振り返るようになることは、きわめて自然なことである。もし、日本と韓国の立場が逆転し、日本が植民地となって日本人女性が韓国軍の慰安婦にされていたらと想像しただけで、それを理解できるのではなかろうか。だからここには、「当時は日本人だったでしょ、だから日本には法的責任はありません」では済まされない問題が横たわっているのである。

植民地問題を脇において合意できる解決策を提示

そのような現実をふまえ、『慰安婦問題をこれで終わらせる。』では、私なりの解決策を提示している。大ざっぱに言えば、以下のようなことである。

一つは、日本が法的責任を認めることはできないにしても、慰安婦とされた女性に対するお詫びと反省の気持ちを最大限あらわすことである。その基本は河野談話に書かれているものであり、新しくひねり出さなくていい。過去には右派も容認し、現在は左派が持ち上げている談話なのだから、不可能ではないはずだ。右派からすると、河野談話に弱点があったから韓国につけ込まれているのだということになろうが、先ほど紹介したように、韓国の運動団体が河野談話は日本の法的責任を回避していると批判しているのだから、河野談話を基本に据えたところで、法的責任の問題になることはない。

二つは、法的責任を認めないからといって、明示的にそれを言ってしまったら、韓国側との合意は不可能になる。問題が発生して以降、法的責任を求める韓国側と、法的責任はないが人道的責任は認めるという日本側が、果てしない論争を続けてきた。一九六五年に日韓基本条約を締結する際、植民地支配は違法だったとする韓国側と、いや当時は合法だったとする日本側が対立し、最終的に「もはや無効」という表現で妥協したが、それと似たようなやり方が必要ではないか。「法的」とか「人道的」という言葉を使わず、別の言葉を使えば良い。私が提案したのは「歴史的責任」という新しい表現であった。

三つは、在韓大使館前に置かれた慰安婦像の扱いである。この像の前で毎週水曜日、三〇年近くも集会を開いてきた韓国側と、この像の撤去を求める日本側が折り合うことは難しい。それならば、現在の像を包み込むような形の新たなモニュメントをつくり、それを和解の象徴として両国が大事にするようなやり方を模索すべきではないか。

さらに、慰安婦問題が解決しない根底にあるのは、やはり植民地支配の問題で両国の認識が根底から異なることにあるとして、いくつか問題提起をしている。

挺対協とは対談できず、小林よしのり氏とは実現した

当時の私は、慰安婦問題での日韓合意を仲介したいと本気で考えていた。だから出版後、立場を問わずいろいろな人びと、団体に本を贈呈することになる。

自民党の二階幹事長（当時）もそのお一人であり、保守政界きっての「韓国通」として欠

かせなかったので、二階氏を知るある政治評論家を通じて贈呈した。韓国側では挺対協にもお届けし、当時の代表であった尹美香《ユンミヒャン》氏を知るある日本人に仲介してもらい、対談を呼びかけた（他に何の接点もなかったから当然ではあるが、目的はどこにあるのかと警戒され、実現しなかったが）。

一方、出版社の編集部から働きかけをしてもらった小林よしのり氏からは、対談することに了解との返事がくる。小林氏は、左翼からは慰安婦問題そのものを否定し、現在の右傾化の風潮をつくった張本人のように捉えられているが、氏の書いたものをよく読めば、問題にしているのは事実からかけ離れた「強制連行」説などであり、以前からお話をしたいと考えていたのだ。

対談は「週刊東洋経済」が企画してくれ、誌面にも掲載された（「日韓和解に向けた徹底対談　慰安婦問題　右も左も大間違い」二〇一五年七月四日）。その後、小林氏が主宰している「ゴー宣道場」にも二回招かれ、討論することになる。

小林氏と私の間では、もちろん不一致点のほうがはるかに多い。しかし、それでも一致できることがあるし、それは大事なことだと教えてもらったような気がする。

例えば小林氏は、河野談話を基礎にした解決という私の提起に対して、談話が日韓交渉の基礎になるのかという疑問を呈してはいる。曰く、「賠償につながるような談話」、「元慰安婦の痛みを和らげたいというヒューマニズムの精神で交渉して本当に大丈夫かという気がする」等々である。しかし、他方で次のように河野談話を肯定的にも捉えている。

「あの談話は念入りに読むととてもよくできている。どこにも『日本政府による強制連行があった』とは書かれていない。『強制性』は認めているけれど、政府が強制連行したとは書かれていない。ぎりぎり妥協できるところでまとめている。でも、保守派は読んでいないのか、理解力が低いのか、強制連行を認めた談話だと、いまだに主張している」

小林氏は、慰安婦のことを「奴隷そのもの」とも指摘した。「(明治政府の芸娼妓解放令では)彼女たちの境遇について『牛馬の如き』と表現している。つまり牛や馬と同じ。奴隷そのものなわけ。公娼だからよいとか、そんなことじゃないんですよ」という認識を述べたのである。

また小林氏は、植民地支配が問題の根底にあるという私の指摘に対して、「植民地支配が罪悪だとはいわない。当時の世界情勢はそういうものだった」と述べる(あとで述べるが、この現状認識は私と変わらない)。他方、「松竹さんの本で示唆を受けたのは、欧米各国の植民地支配は旧植民地国から糾弾されないのに、日本は韓国からなぜこれまでに嫌われるかということ」「松竹さんは韓国について、『日本は支配してはならない国を植民地にした』……『韓国は日本にとってなじみの国だった』と書いている。これはなるほどと思った」とも述べてくれた。

対談の最後に私は、「安倍首相にはあなたにこそできることがあるはずだと提言したい」と強調した。それに対して小林氏は、「わしは期待しないけど。保守派の言い分は世界的には通用しないし、安倍首相が慰安婦問題で解決に向け今まで以上の積極的なことはしないと思う」と指摘しつつも、「でも、解決を探る議論をすることは大きな意味がある」と言われた。

二〇一五年の日韓政府合意の意味

この対談が実施されたのが二〇一五年の六月。対談の場で安倍首相への「期待」を表明した私だが、まさかその半年後の一二月、本当に日韓両国政府が慰安婦問題で新たな合意に達するとまでは予想していなかった。慰安婦問題で政府間の対話が途絶えていた状況下で、この対談が何かの影響を与えたとまでは言わないが、もし水面下で交渉に携わっていた人が、左右がともに受け入れられる合意は可能だという期待を抱いてくれていたのなら、素直にうれしい。

日韓政府合意は、河野談話を基本的に継承したものである。「当時の軍の関与の下に、多数の女性の名誉と尊厳を深く傷つけた問題」であるという問題の認識、「安倍内閣総理大臣は、日本国の内閣総理大臣として改めて、慰安婦として数多の苦痛を経験され、心身にわたり癒しがたい傷を負われた全ての方々に対し、心からおわびと反省の気持ちを表明する」という当事者に対する言葉遣いなどに、それは端的にあらわれている。

合意の中核をなすのは、「責任」の表現である。すでに論じたように、この問題での日本の責任をめぐって、「法的責任」だとする韓国側と、「人道的責任」であるとする日本側とが、ずっと折り合えないでいた。だから私は、「歴史的責任」という用語を使うことを提唱したのだが、新たな合意では単に「責任」とすることで決着した。メディアに問われた日本政府高官が「これは人道的責任」と解説してしまえば、韓国世論の猛反発で崩れ去るのだが、「責任は責任」として貫き通す覚悟だったのだと思われる。

河野談話の限界を乗り越えた要素もあった。「日韓両政府が協力し、全ての元慰安婦の方々の名誉と尊厳の回復、心の傷の癒やしのための事業を行う」ことで合意し、その事業を担う財団は韓国政府が設立したのだが、「日本政府の予算で資金を一括で拠出」するものだったことである。かつてのアジア女性基金は、日本政府が設立を決め、運営経費は全額を政府が拠出したもので、日本政府の責任をそれなりに具体化するものであった。ところが、慰安婦に渡される償い金は日本国民に広く募金を求めて支給するとしたことをもって、韓国側は日本が責任を果たさない民間基金だと批判を強める結果となった。二〇一五年の日韓合意では、慰安婦に対する支援金の全額を日本の税金で拠出するとされたのだから、韓国側が批判することは難しいと思われた。

他方で、懸念を感じさせる問題もあった。在韓大使館前の少女像のことだ。日韓政府合意は、「（日本政府が）公館の安寧・威厳の維持の観点から懸念していることを（韓国側が）認知し」、韓国政府として関係団体と協議して解決するとしている。日本政府はこれをもって少女像撤去の約束と解したが、先ほど述べたように少女像は韓国国民の心の機微にふれる象徴的な問題となっており、もっとも智恵の絞りどころであったと感じる。

日韓政府合意は日本と韓国の双方に変化をもたらした

この合意の顚末はすでに知られている通りである。韓国の運動団体である正義連（かつての挺対協）が「被害者中心の解決策ではない」と反対し、その同じ主張を掲げた文在寅《ムンジェイン》氏が大統領選挙で勝利して当選することによって、設立された財団は解散を余儀なくされ、合意は破綻することになった。

小林氏に「解決を探る議論をすることは大きな意味がある」と言わせたのに、この結果である。氏はきっと私と対談したことを後悔しておられることだろう。しかし、強がりだと思われるかもしれないが、この合意が無意味だったとは思わない。日本側と韓国側の双方にとって、大事な変化をもたらした。

日本で韓国の慰安婦の運動を支援する団体は、韓国側が批判するとそれに無条件に同調するような対応をとりがちだった。ところが、一貫して慰安婦に寄り添ってきた運動団体の中心に位置する「女たちの戦争と平和資料館」は、日韓政府合意について「被害者不在の政治的妥結」という批判を投げかけたが、同時に、「政治的『妥結』を、被害者が受け入れ可能な『解決』につなげる道を、時間がかかっても丁寧に探っていきたい」ということを、対応の基本においた。焦点の「責任」という用語についても、「『責任を痛感している』と、国家の責任を明確に認めたことは率直に評価する」としたし、「日本の国庫から拠出されるお金は、日本政府からの『謝罪の証』であると認められる可能性がある」という立場に立ったのである。

これは、日韓政府合意の全面否定ではなく、対話によって日本側の世論の合意を形成する可能性を示唆するものであった。大きな変化である。

韓国側では、正義連は前述のような態度をとり、政府も縛られているが、当事者である元慰安婦の約八割が財団から支援金を受け取っている。日本の税金で支出された資金を大多数の元慰安婦が受け取り、その心が癒やされたであろうことを、日本人の一人としてほっとする気持ちで見守ってきた。日韓政府合意を「被害者不在」とするのは一面的だと感じる。

問題は、それでも韓国の運動団体が合意を全否定し、政府が追随するのはなぜなのかということだ。それを解明し、克服しなければ、日韓関係はいつまで経っても不安定なままである。そして、それが何であるかは、ここ数年で明らかになってきた。問題の根源は、やはり植民地支配の清算がされていないことだったのである。二〇一八年一〇月の徴用工問題での韓国大法院（最高裁）判決、二〇二一年一月の慰安婦問題でのソウル中央地裁判決を見れば、そのことは理解できる。

植民地問題こそが日韓関係安定の核心だ

まず徴用工問題だが、日本人の多くは、一九六五年の日韓請求権協定でこの問題は決着しているのに、韓国側がそれに駄々をこねていると捉えている。しかし、大法院判決を子細に検討すれば分かるように（関心のある方は拙著『日韓が和解する日――両国が共に歩める道がある』を参照されたい）、韓国側は、六五年の協定で徴用工の未払い賃金などが対象となり、日本が支払ったお金を原資として、韓国の国内法にもとづき補償金の支給を受けていることを認めている。その上で、以下の判決文に見られるように、「不法な植民支配」と直結した行為への慰謝料は受け取っていないと主張しているのである。

「原告らが主張する被告に対する損害賠償請求権は、請求権協定の対象に含まれるとはいえない。その理由は以下の通りである。

（1）まず、本件で問題となる原告らの損害賠償請求権は当時の日本政府の韓半島に対する不法な植民支配および侵略戦争の遂行と直結した日本企業の反人道的不法行為を前提とする強制動員被害者の日本企業に対する慰謝料請求権であるという点を明確にしておかなければならない。原告らは被告に対して未払い賃金や補償金を請求しているのではなく、上記のような慰謝料を請求しているのである」

慰安婦問題の地裁判決も、多少の論理の違いはあるが、「不法な占領（＝植民支配）」を問題の根源と見なして賠償を請求している。よく知られるように、この裁判は、日本国（政府）を加害者として訴えたものであり、日本政府は国家が裁判の当事者にはならないという国際法の主権免除の原理を根拠として、裁判そのものに応じなかった。そのため、判決文は、主権免除という日本の主張が通用しないことを根拠としたのだが、それを論じた判決の最後の部分を見てみよう。

「（韓国人女性が慰安婦とされたことは）当時日本帝国により計画的、組織的に広範囲に行われた反人道的犯罪行為であって国際強行規範に違反するものであり、当時日本帝国により不法占領中であった韓半島内において我が国民である原告らに行われたものであって、この行為が国家の主権行為であったとしても国家免除を適用することはできず、例外的に大韓民国の裁判所に被告に対する裁判権があるというのが妥当である」

韓国は日本による「不法占領中」だった。その期間に、日本が「我が国民」（＝韓国国民）

に対して行った行為だから主権免除は通用しないという論理である。日本と韓国という国家同士の関係が存在していたことが前提である。一方の日本は、植民地支配は当時の国際法では合法だったのであり、韓国国民という概念は存在せず、慰安婦となったのは日本国民であり、日本の国内法が適用されていたという立場である。

まったく論理がかみ合っていない。結局、問題はここに存在する。植民地支配は合法だったのか違法だったのか、そこに決着をつけない限り、問題は解消しないということなのだ。

植民地支配の違法合法論の議論を開始する

現在の世界において、ある国が他の国を植民として支配することは、完全に違法な行為である。そんな行為に及んだ国家は、国際社会から軍事制裁を受けかねない。アメリカもこの間、アフガニスタンとイラクの両国を侵略し、現在もイラクには軍隊を駐留させているが、植民地支配は違法という国際法の原理は誰にも曲げることはできず、アメリカは両国を支配下に置いてこなかったし、両国政府にも主権国家としての自覚と覚悟がある。

しかし、二〇世紀前半までの長きにわたって、オランダやスペイン、ポルトガルにはじまり、イギリス、フランス、ベルギー、イタリア、ドイツ、アメリカそして日本に至るまで、いわゆる列強と称された国々が世界の広い地域を植民地として支配したことはどうだったのか。

残念なことではあるが、当時、それは国際法に合致しているとみなされていた。いや、当時、国際法の主体たることを名乗れたのは、植民地をもてるような列強だけだったというのが正しい。そして、どの植民地宗主国も、かつての行為が合法だったという認識を持ち続けている。

だから、韓国の裁判所の論理が通用するようになるには、かつての列強の行為は違法だったという認識が国際的に確立することが不可欠なのである。韓国政府に求められるのは、日本だけを相手にするのではなく、国際社会を相手にして、かつての列強の行為が違法だったと認めさせることなのだ。その一環として、日本政府が朝鮮半島を植民地支配したことを違法だとするときに、裁判所の論理は通用することになり、賠償問題が俎上に上ってくることになる。

日本にいては見えてこないが、旧植民地諸国は、その日が来るのを待ち望んでおり、国連が主催する国際会議などでも主張を強めている。この間、アメリカで黒人が差別、虐待されることに対して反対運動が高揚し、それがイギリスなどにも波及して過去の植民地支配の指導者を糾弾する運動に発展したが、こうした流れをせき止めることはできない。

日本政府も、一九六五年に日韓基本条約と請求権協定を結んだとき、過去の植民地支配に関して「もはや無効」というあいまいな文言で妥協したことが、やがて問題を生み出すだろうという自覚はあった。そしてその場合、「解決する」努力が求められると考えていた。この条約を審議した国会で、当事者である椎名悦三郎外相（当時）が次のように答弁していたのである。現在の日韓関係を予言しているようだ。

「それから『もはや無効』というのは、一体、当初から無効であったのか、それとも、かつては有効であったか、いつから無効であるかというような点が御質問の点だと思います……。これも聞くところによると、韓国の言い方とわれわれの主張と食い違うようでありますが、これらの点について、もし実際問題として、両国の利害が、今後条約発効後に衝突するというような場合には、十分にこれを解決する自信を持っておるわけであります」（一九六〇年一一月一九日、参議院本会議、自民党の草葉隆圓議員の質問への答弁）

それならば、韓国側の提起を受けて立ち、違法か合法かという論議を正面から行い、決着させるしかあるまい。日本は合法だったと主張すればいいのであり、万が一、その論議で違法だという結論が出てくるなら、賠償その他の求めに応じればいい。しかし、それまでの間は、現状の国際法の水準でやっていくことで、韓国側の理解を得ればよい。韓国側もそのやり方に納得する以外になかろう。この道だけが、日韓の深刻な溝を埋める道筋になると考える。

2 「日本会議」も対話の相手になるのではないか

長谷川三千子氏からの手紙

『慰安婦問題をこれで終わらせる。』を二〇一五年に上梓した際、多少は歴史分野を勉強することになったため、歴史認識問題一般に関心を持つようになった。この年はちょうど戦後七〇年に当たる年で、安倍首相（当時）の談話が焦点になっていたので、『歴史認識をめぐる40章――安倍談話の裏表』を書き、翌一六年は「日本会議」のことが政治の話題になったこともあり、その歴史観にしぼって、『「日本会議」史観の乗り越え方』を上梓することになる。

偶然といえば偶然だが、第一章で紹介したように、この一六年、改憲派と護憲派の討論会に参加していて、議論した相手の一人が長谷川三千子氏であった。長谷川氏といえば、改憲派の論客としてだけでなく、日本会議の代表委員としても知られている。日本会議のことを論じていながら、面識のある日本会議の役員にお知らせしないというのでは、逃げているようで寝覚めが悪い。そこで早速、討論会でいただいた名刺を頼りに、この本を贈呈することにしたのである。

そうしたら、思いがけず、長谷川氏からは丁寧な謝礼のお手紙が寄せられた。書かれてあったのは、タイトルのおどろおどろしさにはびっくりしたとしつつ、私との間には七割ほどの一致点があるが、残る三割の違いが決定的ということであった。

そういう捉え方には、私も同意できる。例えば、前述の植民地支配の問題でも、現在は植民地支配は違法とみなされているが、過去の時代にはそうではなかったという点で、長谷川氏と私は一致できるだろう。しかし、過去の植民地支配さえ違法だったとみなすような将来を展望すべきかどうかでは、おそらく決定的な違いがある。

それでも、一致点と不一致点を明確にすることは、一致点に関する不要な論議を生まないで済む。論争する事項を不一致点に限ることによって、時間の無駄を省いて議論に集中することができるだろう。大事なことだと感じる。

長谷川氏の手紙には、もし機会があれば日本会議のイベントにお招きするかもしれないので、そこで議論したいとも書かれていた。その日が来るのを楽しみにして待っている状態である。

罪責史観と栄光史観が対立しているけれども

歴史認識をめぐって左右は全面的に対立していると、それぞれの陣営に属している人は思っているし、世間でもそう思われているようだ。歴史は事実にもとづいて書かれなければならず、事実は論者の違いによっては曲げられないといっても、その事実をどう評価するかはイデオロギーと無縁ではないから、異なる歴史認識が乱立することになる。

現在、明治から主に昭和にいたる近現代史をめぐって、二つの歴史認識が対立していると、世間では捉えられている。日本が侵略と抑圧をくり返した歴史とみなすものと（本書では「罪責史観」と名づけておく）、アジアで唯一独立を守り先進国の仲間入りを果たしたというものと（「栄光史観」と名づける）、その二つである。大ざっぱに言えば、国民世論において戦後五〇年頃までは罪責史観が地歩を拡大してきたが、九三年の前述の河野談話、九五年の戦後五〇年にあたっての村山富市総理大臣談話の頃から、栄光史観に立つ側が大規模な反撃に打って出て、学問の世界ではともかく、世論のレベルでは栄光史観が優勢なのが現状であろう。

左派がただ罪責史観を信奉し、右派が栄光史観を掲げているのが事実なら、左派が不利であるのは否めない。多くの人は、自分の祖国である日本が、ただただ罪深い国であるとは思いたくないから、そのような歴史観は生理的に拒否することになるからだ。

けれども、影だけで構成される歴史はあり得ないし、それと同様、光だけに包まれる歴史もあり得ない。歴史は光と影が統一されたものとして認識されるのではないだろうか。

大事なことは、日本会議にしても、左派が思い込んでいるように、日本の栄光を一方的に賛美するような歴史観を持っていないことである。例えば二〇一五年、日本会議は「戦後七〇年にあたっての見解」を出しているが、そこでは「歴史には光と影があり、わが国近現代史の歩みのすべてを肯定するつもりはない」と記されている。同会議のウェブサイトを見ると、「インドネシアにおけるオランダ三五〇年と日本三年半の統治比較」と題する文書がアップされており（二〇〇八年）、多くは日本の統治の比較優位を自慢するものではあるが、同時に、影の部分として「戦争遂行のため、石油資源ばかりではなく食料供出を強制したため、戦争末期には住民が飢えに苦しんだ」こと、「タイ・ビルマ間の鉄道敷設のため、一〇万人に上る労務者をタイに送り、二万人近い犠牲者を出した」ことなども指摘している。

日本会議がこのような対応をしているのに、それを栄光史観一色であるかのように描くことは、事実に立脚していないので共感を得られることはない。逆に、そのようなアプローチをする側の単純な歴史観を露呈することになって、かえって批判にさらされるだけである。批判というのは、相手の主張をよく吟味し、そこに評価するべきところがあれば率直に評価した上で、それでもどこに本質的な問題があるかを示すことによってこそ、多数の支持を得られるものになると思うのだ。

東京裁判は「勝者の裁き」か「文明の裁き」か

罪責史観と栄光史観の対立と思われている事例を一つあげよう。いわゆる東京裁判の評価をめぐる問題である。

栄光史観にとって東京裁判は「勝者の裁き」であるとされ、罪責史観にとってそれは「文明の裁き」とされていることになっている。「勝者の裁き」とは、当時、侵略を犯罪として裁くような国際法は存在していなかったのに、戦争に勝利した国が占領下の特権を利用して無法な裁判を行ったという立場を指す。それに対して、この裁判で首席検察官を務めたジョセフ・キーナンが使ったのが「文明の裁き」という言葉であり、文明の進歩がこのような裁判を合法化するという立場をあらわす。

日本会議は、「日本は東京裁判史観により拘束されない」（二〇〇八年一一月一一日、ウェブサイト）という立場を鮮明にしている。「『いかさまな法手続き』で行われた『政治権力の道具』に過ぎなかった」（二〇〇八年一二月一一日、ウェブサイト）と批判している。日本会議の議員連盟に属する安倍晋三氏は、総理大臣として「東京裁判という、いわば連合国側が勝者の判断によってその断罪がなされた」（二〇一三年三月一二日、衆議院予算委員会）と答弁したことがある。

このような右派の立場を目にすると、左派としては「反論しなければならない」という思いが強まり、ついつい「文明の裁き」の立場についていってしまいがちである。心情的には理解できることだ。

けれども、当時、侵略を犯罪として裁く国際法が存在しなかったのは、厳然とした事実である。第一次大戦のあとにドイツ皇帝を裁判にかけることが試みられたり、不戦条約が締結されたりして、次第にその方向へ動き始めてはいたが、ドイツ皇帝を裁く根拠は侵略の罪ではなかったし（そもそも裁判もされなかった）、不戦条約も侵略を罪として裁く条項はなかったので、日本の侵略の罪を裁く国際法は確立していたとは言えない状態だったのだ。そこを無理矢理、いや日本を裁く国際法秩序はあったと言い張ることになると、説得力が欠けることになる。当時からその種の国際法が確立していたなら、なぜ戦後も長い間、侵略を裁く国際法をつくる努力が続けられたのか、説明すらできなくなる。

この問題で言えることがあるとしたら、侵略を裁く国際法確立への努力は開始されていたが、第二次大戦で日本やドイツが侵略し、五〇〇〇万人もの犠牲が生み出される惨状を目の前にして、「この現実を踏み台にして裁かねばならない」という命がけの飛躍があったことである。それは文明が求める方向への飛躍ではあったが、「踏み台」にされた側の日本には、なんとも割り切れない思いが残ったということではなかろうか。だから私に言わせれば、東京裁判とは、「勝者の裁き」でも「文明の裁き」でもなく、「勝者によってゆがめられた文明の裁判」である。

「勝者の裁き」論が国際法を進歩させた

どんな分野においても言えることだと思うが、批判を抜きにして進歩は達成されない。侵略を裁く問題も同じである。もし東京裁判を「文明の裁き」と持ち上げ、「正しかったのだ」と満足してしまえば、東京裁判の方式が普遍的なものになってしまう。

しかし、東京裁判のようなやり方には「勝者の裁き」という批判が浴びせられたが故に、戦後すぐから、国際刑事裁判所をつくるための努力が国連で開始された。戦勝国だけで裁判官を構成したことも、そもそも侵略を裁く国際法の規定もないのに裁判を行ったことも、国際社会は問題があると自覚していたのである。さすがに冷戦が始まったため、その作業は現実味を失って長い中断を余儀なくされるが、冷戦が終わると、すぐに再開されることになった。

その結果が、一九九八年に設立された国際刑事裁判所である。冷戦が終わっても戦争が終わらない現実を前にして、東京裁判とは本質的に異なる裁判所――常設で（すなわち戦勝国が激情にかられて設立するのではなく）、公平で（すなわち戦勝国だけが裁判官を出すのではなく）、しっかりとした条約（この場合は国際刑事裁判所規程）で確立した侵略の定義にもとづいて判決を下す裁判所――を創設することになったのである。

ドイツの罪と日本の罪は同じものか

もう一つ、歴史認識をめぐって左右が対立する問題を取り上げよう。ドイツとの比較の問題である。

この問題では、「罪責史観」の側は、ドイツは責任を果たしたのに日本は果たしていないという立場をとりがちである。それに対して「栄光史観」の側は、そもそも何百万ものユダヤ人を虐殺したドイツと比べるなという立場である。

ドイツが主に問われた「人道に対する罪」と、日本が主に問われた「侵略の罪」は、質的に異なるものである。比較することは簡単ではない。

一方の「人道に対する罪」というのは、行為の内容からすると人を集団的に隔離したり殺したりするもので、罪として分かりやすい面がある。それが特定の民族集団を抹殺する意図を持って行われた点で、人類史上未曾有のものとなり、だからこそ裁かれたのだが、それまでさんざん人類が犯してきた罪の延長線上に理解できるものである。

他方の「侵略の罪」というのは、その結果として人を隔離したり殺したりすることはあっても、侵略それ自体は国家の政策である。侵略政策をとった結果として人を殺すことならば、殺人罪なり人道に対する罪で裁けばいいのであり、侵略という国家の政策自体を裁けるのかという問題があったので、国際刑事裁判所をつくることにこれほどの時間がかかったわけである。

ただしかし、国際刑事裁判所規程では、侵略の罪は、ジェノサイドや人道に対する罪と並んで裁かれることになった。したがって、少なくとも現在は、罪の性格は異なっても、罪の重さに変わりはないことは確かである。

ドイツは優れていて日本は劣っているのか

では、ドイツは責任を果たしたが、日本は果たしていないという問題はどうだろうか。この問題もそう簡単ではない。

日本が国際法上の責任を果たしたことは間違いない。連合国との間でサンフランシスコ平和条約を結び、東南アジアの国々とも賠償のための独自の条約を締結し、遅れはしたが中国とも共同声明で戦後処理を行った。植民地諸国との間で問題を処理する条約を結んだ宗主国はほとんど存在しないが、日本と韓国は基本条約と請求権協定を結んでいる。おカネを払うと言っても現金を渡したのではなく日本企業の進出の足がかりにしただけとか、北朝鮮との間ではまだ条約が結ばれていないとか、もろもろ批判はあるが、法的（形式的と言ってもいいが）には後ろ指を指されるようなことはしていない。

これに対して、ドイツが褒められるのは、個人に対して補償をしてきたからである。戦争で被害を受けたのは個々人であるので、ドイツがとった方式は、被害者の感情に合致するものとなり、評価が高まったのである。だから日本も個人に対して補償すべきだという議論につながっていく。

しかし、戦争によって生じた問題を、国家同士の条約で決着させた日本の方式は、従来から続いてきたやり方であって、法的に問題があるわけではない。しかも、ドイツは日本と異なり、侵略した国との間で賠償のための条約を結ばなかった。というよりも、国家が東西に分裂し、平和条約を結ぶ国家主体としての資格がなかったので、条約を結べなかったのである。とはいえ、ドイツが犯した人道に対する罪は、条約が結べないので賠償できないということで済まされるようなものではなく、だから個人に対して補償するという方式を選択するしかなかったのである。そして、それを実施してみたら、次第に個人の人権尊重が重視される世界のなかにあって、大きく評価されることになったというわけだ。

ドイツの場合、被害を受けた個人に向き合うことが求められたので、被害者に対する言葉にも気遣うことになり、心がこもっているという評価は定着した。日本はそこが欠けていたが、法的な責任を果たしたかどうかで見れば、日本とドイツは同じである。だからといって、この問題は被害者の感情抜きには解決しないので、法的には同じ責任を果たしたと言っても、現実には通用しにくいところに問題が横たわっているのである。

確かに、歴史認識問題で左右の対立はあるし、なくすべきものでもない。けれども、対話して合意できる部分もあるという私の問題意識は、どこか理解してもらえるところはあるだろうか。

保守と革新がどこで手を結べるか——大館市に実例があった

私がこのような議論を展開しても、左からであれ右からであれ、あまり共感を呼ばないかもしれない。イデオロギーというのは簡単に変容するものではないし、対立すると思っていたイデオロギーにも意味があると言われたところで、「はい、そうですか」ということにはなりにくい。私自身、右側の人びととの対話と合意の努力を重ねつつ、まわりからの冷たい視線を感じざるを得なかった。

しかし、やはりそのような努力は必要なのだということを、二〇二〇年になって自覚することになる。そして、その問題に関する書籍を企画、編集することになり、二〇二一年になって刊行された。その本のタイトルは、『花岡の心を受け継ぐ——大館市が中国人犠牲者を慰霊し続ける理由』である。

これは、秋田県の大館市が、戦後ずっと、保守市政の時代も革新市政の時代も、終戦直前に花岡事件で亡くなった中国人の慰霊を行ってきた経過、意味を論じたものだ。大館市のことを私に教えてくれたのは、ドイツ文学翻訳家の池田香代子氏である。刊行した本のナビゲーターにもなっていただいた。

日本が第二次大戦中に犯した加害をめぐっては、保守と革新の鋭いイデオロギー対立の焦点となってきたため、保革が一致して犠牲者を慰霊するようなことなど、他のどんな自治体もしていない。それなのに大館市ではそれがなぜ可能になったのか。保守と革新は、いったいどこで一致し、協力し合えたのか。歴史認識の相違をどう克服したのか。それが明確になれば、他の自治体や、あるいは日本国の行政にとっても意味あるものを提示できるのではないか。そこで、本章の最後に、この本のことを書いておきたい。

3 大館市が保革ともに中国人犠牲者を慰霊する理由

花岡事件とは何か

第二次世界大戦中の一九四二年一一月、労働力不足に悩む東条内閣は、交戦国である中国の人びとを動員することを決め、「華人労務者内地移入に関する件」を閣議決定する。他国の人びとを日本で働かせるのは違法であり、当然のこととして、連行は強制的なものとなる。一九四四年八月から一九四五年五月までに、戦争捕虜を含む約三万九〇〇〇人が強制連行され、日本全国三五社一三五か所の事業所において、劣悪な環境のなかで、過酷な労働を強いられ、六八〇〇人以上が死亡したとされる。

その事業所の一つが、秋田県花岡町にあった花岡鉱山であり、中国人九八六人が花岡鉱山に連れてこられた（連行途中で七人死亡）。鉱山を経営していたのは藤田組（のちの同和鉱業、現・DOWAホールディングス）であるが、四四年に鹿島組（現・鹿島建設）が土木部門を請け負うことになり、中国人の大半は鹿島組花岡出張所で働かされた。

花岡川の水路変更工事、ダムの掘削や盛り土などの激しい労働、補導員から時として加えられる暴行、そして食糧不足などのなかで、九七九人いた中国人のうち、四五年六月末までに一三七人が死亡する。生き残っていた人びとは、このままでは死ぬことになるとして六月三〇日に集団脱走するが、全員が捕えられて外で三日三晩縛られて拷問されるなどした。そして、七月に一〇〇人、八月に四九人、九月に六八人、一〇月に五一人が亡くなるのである。

当時は報道管制が敷かれていたが、敗戦後の一〇月初め、日本を占領した米軍が大館を訪れて事件の詳細をつかむことになり、花岡事件が全国に知れ渡る。連合国軍が開いたBC級裁判（横浜裁判）は、一九四八年三月一日、鹿島組の四人、警察側の二人に対して、終身刑、絞首刑、重労働二〇年などの判決をくだした（全員が間もなく減刑されて釈放）。

保守市政も革新市政も犠牲者の慰霊式を実施

すでに述べたように、中国人は日本全国で四万人近くが強制連行され、六八〇〇人以上が亡くなっている。労働環境も食料環境も、全国で共通していたことであろう。しかしそのなかでも花岡事件は、連行されたうちの四割もが死亡したこと、抑圧に耐えかねて集団脱走が実施されたこと、戦後に被害者が加害企業を相手に起こした裁判のなかではじめて和解に達したことなど、他の強制連行事件では見られないいくつもの特徴がある。

それらのなかでも特筆されるのが、犠牲になった中国人に対する慰霊を、まずは花岡町が開始し、合併して花矢町、大館市になってからも続けていることである。民間団体が主催したり、そこに自治体や企業の代表が参加する場合はあるが、自治体自身が主催者となってこれほどの長きにわたり慰霊を続けているのは、大館市だけである。

現在、日本と韓国との間では、徴用工の問題をめぐって深刻な問題が生じている。この問題の原因がどこにあり、どうしたら解決に至るのかは難しい問題だが、日本政府は徴用工を雇った日本企業に対して、裁判で妥協したり和解しないよう求めている。これと違って、花岡事件をはじめ中国人犠牲者を出した事件の場合は、企業が和解に応じるのを日本政府は黙認してきた。

中国人犠牲者と韓国の徴用工の間に違いがあることは事実である。連れてきた対象が外国人なのか、当時は日本人として日本の法律の下にあったのかで、まず違いがある。一方が日中共同声明で「賠償請求は放棄する」と明記され一円の支払いも受けておらず、他方が日韓基本条約と請求権協定に基づきそれなりの金額の支払いを受けたという点でも、無視できない違いがある。

しかし、日本企業にとってみれば、過酷な働き方を強いた人びとに訴訟を起こされている自覚はあるし、その国で企業として成功するには国民の評判を良くする必要もあるので、何とか解決に持ち込みたいという動機が生まれる点では共通するものがあるのだ。そういう企業の自主性を行政が奪うのは果たして正しいことなのだろうか。

このような問題に直面しているだけに、大館市が行政として中国人犠牲者を慰霊し続けていることには、一つの自治体の経験という問題を超えた意味が存在する。『花岡の心を受け継ぐ』という本は、それを解き明かそうとする目的で企画されたものだ。

三つの角度からアプローチした

この本は、そういう問題意識を抱いた池田香代子氏が、大館市の関係者を訪ね歩き、インタビューをして解き明かすという構造の本である。池田氏は、二〇〇四年の慰霊式に初参加して以来、ほとんどの年の慰霊式に大館を訪ねている。そのなかで大館市が慰霊を続けていることに問題意識を持ったのだが、その理由を現地の関係者に尋ねても、「花岡の町長さんが最初に執り行った」とか、「大館市と合併する時に、慰霊式を続けることが条件になった」とか、事のいきさつは分かるけれども、なぜ行政が日本ではどこもやられていないことをずっと続けてきたのかは謎のままで、その根底にあるものを知りたいと考えておられた。

私はその池田氏から、一度は慰霊式に参加してみたらどうかと、何年も前から働きかけを受けていた。少し仕事が楽になったこともあり、長年お世話になっている義理を果たす程度の気持で、二〇二〇年の慰霊式に顔を出してみたのである。コロナ禍の開催なので規模は大幅に縮小され、被害者家族も参加していなかったのだが、市長の言葉に聞き入ったり、保革を超えて議員らが参加している様を見ながら、これは大事なことだとようやく理解し、その場で本として刊行する決意を固めた次第である。

大館市には二〇一〇年、花岡事件の記憶を継承する市民運動によって、花岡平和記念館が開館している。その記念館の関係者の助けを受け、池田氏とともに、行政による慰霊の理由を解き明かすために必要な人びとにお会いしたり、花岡町時代の資料が残っている大館市立花岡図書館で調べ物をしたり、そんな日々が続いた。大きくくくって、三つの角度からアプローチをしている。

一つは、花岡町長だった山本常松氏のことを深く調べることだ（開始期）。一九五〇年に行政人としてはじめて慰霊を開始し、矢立村と合併して花矢町になった時代、現在も慰霊式が開催される場所である「中国殉難烈士慰霊之碑」を鹿島建設などとともに建立し、大館市と合併する際（六七年）に慰霊式の継承を条件とした人である。

二つは、保守市政と革新市政が交互に入れ替わる六七年から九一年にかけての時代のことである（発展期）。革新市政時代に慰霊式が注目されていった理由も知りたいし、同時に、保守市政だからといって後退したわけではないらしいので、背景を探らなければならない。

そして最後に、九一年からずっと続く保守市政時代のことである（定着期）。小泉首相時代に靖国参拝が続いたり、慰安婦問題での河野談話が批判にさらされたりした時代で、日本が犯した過去を想起させる慰霊式が逆風にさらされてもおかしくなかった。革新側が市政を奪還する可能性もなくなっていった。それなのに、なぜ慰霊式はずっと続けられたのだろうか。

それぞれの角度からの探求の結果がどうなったのか。関心のある方には本を読んでいただくしかないが、私自身が気づかされたことだけをここで書いておきたい。

犠牲者を慰霊するのはごく自然なこと

まず開始期である。行政と関わりない慰霊という点では、連行途中で死亡した七人の慰霊が、鹿島組の依頼により花岡町にある信正寺で一九四四年に行われている。事件の発生後、四〇〇余の遺骨を預かった信正寺の住職は、鹿島組に納骨堂を建てるよう進言したそうで、それは叶わなかったが供養を続けていた。

そこに花岡町長である山本常松氏が関わることになった直接のきっかけは、四九年、中国人の新たな遺骨が発見されたことによる。敗戦後の混乱が終わり日常を取り戻していたときのことだから、世間に与えた衝撃も大きかったのだろうと思われ、鹿島組は信正寺の裏手の地下に納骨堂をつくり、その上に供養塔を建てることにした。そして翌年七月一日、この供養塔の前で山本町長が施主になって慰霊がされたのが、行政人が関わる最初の慰霊となったのである。

一八九三年生まれの山本氏は、小学校を卒業して花岡鉱山で働き、その後、政友会に所属して町議をしていたというから、政治的には保守寄りだったと思われる。しかし戦後の四七年、町長となるときは、鉱山の労働組合の支援も受けるなど、支持者は広範囲に及んでいた。信正寺の住職は山本町長と小学校の同級であり、親友でもあったそうで、東京大学を卒業して教師となり、花岡町に戻って町長の依頼で教育長も務めていた。だから、山本町長が慰霊式を行ったのには、個人的なつながりが生みだした偶然の要素もあるかもしれない。しかし、町長のご子息に伺うと、「事件からしばらく経っても遺骨が出てくるのです。ですから、それをお寺に預けて慰霊しようという気持になるのは、ごく自然なことです」とのことであった。やはり、犠牲者を弔うということは、保守だとか革新だとか政治的な立場に関わりなく、人が普通に持っている感情の発露なのである。

保守と革新が協力できる場合もある

同時に、労働組合が山本町長を支持した話とも関係するが、当時、政治的には保守に属する側と革新に属する側との間で、微妙な共闘関係が成立していた事情もあるようだ。現在の時点から見ると、かなり想像しづらいことなのであるが。

五九年から花岡の郵便局に勤め、その後も労働組合の活動家としてずっと事件に関わってきた人も、「自分が住んでいる花岡で、遺骨が次々と出てくるわけだから、慰霊するのは当然だというか、異論が出るような状況ではなかった」と証言する。遺骨の返還に取り組みはじめる五〇年代末以降、中国からは紅十字会の代表などが来日するようになるのだが、花岡鉱山の側と労働組合の側が協力して歓迎会を開いたことなども教えてくれた。

こういう関係は、単に花岡事件だけに限定されていたものでもなかったようだ。秋田県では、種苗交換会というJAが主催する伝統的な農業イベントが自治体持ち回りで開催されており、行政も大きな位置づけを与えているのだが、市民運動団体である日本中国友好協会は当時、この交換会でずっと中国物産展を開いていたという。六五年に大館市で開催されたとき、日中友好協会は米軍による土崎空襲をテーマにした平和展を行い、種苗交換会に参加した人びとに見てもらったそうだ。

大館市による慰霊式が現在も続いているということは、保守と革新のこうした関係が時代に限定されたものではないことを示しているように思われる。少なくとも犠牲者を弔うということは、時代が変わっても自治体が変わっても、同じ気持ちを共有できるのではなかろうか。

革新には革新らしい役割があるが

次に発展期だ。この時期のことは秋田県議会議員（立憲民主党）の石田寛氏に伺った。保守市長時代の七五年に社会党の大館市議会議員となり、七九年以降の革新市政時代、花岡事件の問題を議員として主導した方である。

石田氏が語るところによると、花岡事件が日本政治の大きな焦点となったのが、革新市政時代の八五年だった。日本の侵略の責任を追及する立場の革新市政だったから、戦後四〇年の記念の年ということもあり、慰霊式の規模と内容をスケールアップした。それまでは慰霊碑の前で数十名の規模で開催していたそうだが、その年、当時の新聞記事によると一〇〇〇名が参加したとあるから、大館市にとっては半端な数ではない。花岡事件のことが大きな注目を浴び、日本と世界に発信されることになる。やはり革新には革新としての役割があるということだろう。

同時に、石田氏のお話で興味深かったのは、保守と革新の関係のことである。花岡には共楽館といって花岡鉱山の厚生施設があったのだが、老朽化して体育館に建て替える方針が示されたため、保守市長の時代の七八年、その問題をめぐって保革対立が起きたそうだ。共楽館というのは、花岡事件で蜂起した中国人が捕まり、集められた場所である。中国人はそこの前庭に縛られて三日三晩放置され、首謀者と思しきものは拷問されたりした。それが取り壊されるということは、事件の記憶を風化させるに等しいということで、革新の側が反対の市民運動を展開する。

しかし同時に、建物を放置していては危険なほどの状態であったことも事実である。大館の市議会において、社会党の市議会議員は、解体されたとしても博物館か記念碑などを建ててほしいと求めた。それに対して保守の市長も、「花岡ではですね、私が市長になってから毎年お盆に、中国の、あそこでなくなった方の慰霊祭をね、毎年これは市費をもってやっておるし、また一部の人たちがね、いわゆる日本、中国は再び戦争をしてはならんというような願いを込めて碑も建っております」と答弁し、記念碑をつくる考え方を示した。質問した議員も、「私が希望意見として述べておるようなことに近い市長の考え方が示されました」と矛を収めている。

事件を風化させるものとして、市民運動ならば反対を貫くという立場もあっただろう。同時に、政治の側は、どこかで一致点を探し求めていたということなのだろう。

保守にとって慰霊は「自然な感情」

最後に定着期である。この問題では、一九九一年から二四年間、自民党出身で大館市長を務めた小畑元氏にお話を伺った。

九一年の大館市長選挙は保革が激突する選挙だった。保守の側は、三期一二年続いた革新市政の打倒をめざし、建設省（当時）の官僚だった小畑氏を候補者に迎えた。革新の側は、弁護士の川田繁幸氏が対抗馬である。現在は花岡平和記念館を運営するNPOの理事長を務める方で、花岡事件へのこだわりは半端ではない。

当時、戦後五〇年を前にして、日本の過去の戦争をどう評価すべきかについて、保守と革新の争いが激化しようとしていた。大館市においても、もう慰霊式は止めるべきだというタカ派の議員があらわれるようになったので、革新の側は保守市政になることを警戒し、選挙にも全力をあげる。

結果は僅差で小畑氏の当選だった。革新の側は警戒心を強めることになるが、その後、慰霊式の中止問題が政治の課題として浮上するようなことはなく、現在に至っている。

そのような背景を知って小畑氏にお会いすることになったため、私の頭のなかにあったのは、慰霊式の中止か継続かをめぐって小畑氏には葛藤が存在していただろうから、そこを伺いたいということだった。ところが、そんな葛藤など、どこにも存在していなかった。確かに、小畑氏が当選して五月初めに市役所に登庁すると、六月の慰霊式が目前であったから、市の幹部が中止か継続かのお伺いを恐る恐る立ててきたそうである。しかし、小畑氏が継続を選択するのに、何の迷いもなかったのである。小畑氏は、その選択を「自然な感情」という言葉で表現した。「自然に民衆から湧き上がってくる声」とも述べた。

大館市営の公園墓地の入り口に、中国人犠牲者が祀られている「中国殉難烈士慰霊之碑」という石碑があり、慰霊式もそこで行われている。その墓地を訪れた小畑氏は、次のような体験をしたことがあり、それが迷わなかった理由なのだそうだ。

「その石碑のところに、何かお供え物が置いてあるのが見える。ということは、自分のお墓をお参りした人が、墓地の入り口にあるその石碑のところにも、供え物を置いていくということなんです。それを見て、『あ、これだな』と思った。だって六月三〇日と言えば、終戦まであと二か月もないんですよ。蜂起するのを一か月と少しがまんしていたら、命を落とすことはなかった。そこで命を落としたというのは、あまりにもかわいそうだ、そう感じている市民がいるということです。そういうことからスタートしました」

問題を政治的に扱うと分裂が生まれるから

興味深かったのは、そのお話を聞いたあとの、池田香代子氏とのやり取りであった。池田氏は、小畑氏が慰霊を続けた思想の意味をつかみたいと願い、幾度も問いかけるのだが、小畑氏の答えは一貫しているのである。

例えば池田氏は、「保守主義と言っても、いろんな保守主義があるんですけれども、経済保守とか宗教保守ではない、社会保守という考え方でしょうか。『先祖から伝えている良いものや真っ当なものを守る』という意味ではないですか」と聞く。それに対して小畑氏は、「その言葉はピンと来ません。もっと自然なものです」と答える、といった具合である。

あるいは、池田氏は、「官僚としてのお仕事をなさっていく中で、そういうコモンセンスに照らして、『これはこうするのが真っ当なことである』ということを一つひとつ探り当てていかれたわけですね。やはり保守主義者です。エドマンド・バークの言う意味での社会保守主義者ですよね」と言う。けれども小畑氏は、「保守主義だと言われてもピンとこない」「『主義』と言われると、すぐに社会主義が連想されるし、どちらかと言うと『科学』のような感じになるでしょう。理屈で行くような」、「『主義』と言われると実感が伴わない」と述べる。「保守の良識ではどうでしょう」という池田氏の突っ込みについても、「それをやらない人は良識が欠けているみたいになって、あまり適切ではない」と否定する。どこまでも徹底しているのである。そこが本当に保守なのだ、人は必ず間違いを犯すということを前提に、保守をしながら少しずつ直すべきところを直すという保守なのだと、やり取りを聞きながら思っていた次第である。

だからそこには、保守と革新の対立軸である戦後賠償などの問題は入り込まない。小畑氏はそれを「戦後の補償がどうかとか、そういう話などはまったく抜きの気持です」、「それをあまり政治的に扱い過ぎると、市民の気持ちと重ならない部分も生まれる」という。そして、そういう立場であればこそ、広い人びとの了解が得られると次のように語るのだ。

「やはり市民のみなさんの中にはいろんなご意見があります。特に自民党右派の辺りからは、『あれは革新系の運動ではないか』とか『そんなの手伝ってどうするんだ』とか、いろいろ言われることもあります。しかし、当然経費が掛かるわけですから、予算も議会に出してそういう方々の了解もとらなければならない。ぶつぶつ言いながらも、最後は『まあ、しょうがねえよな』とみんな納得してくれています」

〝七割の一致と三割の違い〟再論

歴史認識について、日本会議の長谷川三千子氏から〝松竹さんとは七割は一致するが、残りの三割の違いは決定的〟と言われたことを紹介した。それを左派が耳にすると、「あんな歴史修正主義者と一致するところが七割もあるなど、松竹さんが不潔なことの証だ」と思うのではなかろうか。逆に右派がそれを聞くと、「左派とそこまで一致点があるとは、長谷川氏は許せない」ということになったかもしれない。

私自身、右派との対話を求めて歩んできた身として、一致点があるのを確かめられたことは大切だと感じてきた。しかし一方で、一致してだからどうするのだと言われると、積極的な意味付けをすることはできなかったのである。

けれども、いまなら言えることがある。左派と右派の間には、絶対に乗り越えられない壁がある。だからどちらの側も、自分の主張を多数派にするために、それぞれが努力をすればいい。私も、例えば欧米や日本による植民地支配は違法なものだったと考えているので、いまは多数のものにはなっていないが、やがて世界で普遍的な考え方にしていきたい。

しかし、そういうバラバラな思想の人びとが一つの共同体を形成しているなかで、そのお互いの違いは認め合いつつも、どこかで何か一致するものは必要なのではないか。それがないと、その共同体がかつて犯した間違いで亡くなった方々を慰霊することさえできない。革新市政時代には日本の戦争犯罪を糾弾して盛大な慰霊を行うが、その同じことを保守市政に求めようとすると、慰霊そのものが行われなくなる可能性がある。保革で一致する範囲で慰霊をすれば、政治の立場がどう変わろうと、慰霊はずっと続いていく。行政というものには、そんな役割もあるのではないだろうか。

そして、その考え方は、歴史認識だけに限られるものではないかもしれない。憲法九条と防衛をめぐって私があがいてきたことも、じつは似たような問題だった可能性があるが、それはより広範囲に適用できるものかもしれない。これが現時点での私の結論である。

終章

立場の違う人びとが対話するということ

左右の対話と協力を防衛・憲法問題、歴史認識問題で実践してきたことを書いてきた。しかし、いま振り返ってみると、他の分野でも同じことをしてきたと自覚できる。そこから共通の経験をくみ出せるかもしれない。

1 拉致問題や福島の問題でも同じ試み

拉致問題で左右の垣根を超える対話を呼びかけた

例えば拉致問題。蓮池透氏にお願いして『拉致』という本をつくったのは、二〇〇九年のことである。蓮池透氏とは、拉致被害者である蓮池薫氏の兄であり、長く「北朝鮮による拉致被害者家族連絡会」（以下、家族会）の事務局長を務めた方だ。その本のサブタイトルから して、「左右の垣根を超えた闘いへ」となっている。

その意図が伝わったのか、一水会の鈴木邦男氏がAERAに大型の書評を書いてくれたり、東京の杉並の市民団体が蓮池氏を呼んで池田香代子氏との対談イベントを開催してくれたりした。そうした到達をふまえ、その年の内に、蓮池氏を相手に議論をする『拉致2――左右の垣根を超える対話集』（二〇〇九年一二月）を出した（対談相手は右記の二人に映画監督の森達也氏を加えた三人）。なお、同じ意図から家族会の会長である横田滋氏（故人）にも何回かお手紙を出し、お孫さんに会いに北朝鮮に一緒に行って本をつくりたいと呼びかけたことがある。その最後の手紙に対して、孫に会いたい気持はあるが、自分が行ってしまうと娘が死亡したという北朝鮮の宣伝を認めてしまうことになるから難しいと、ていねいな断りの返事があった。

拉致問題が左右の垣根を超えた国民的な課題であることを疑う人は、いまでは誰もいないだろう。しかし、この本の出版当時はそうではなかった。家族会や救う会（「北朝鮮に拉致された日本人を救出するための全国協議会」）の集会に行くと、右翼の街宣車が多数集結してがなり立てており、朝日新聞や左翼を糾弾する言葉が飛び交っていた。拉致問題は国民的な関心事であったが、運動を主導するのは右翼の独壇場だったのだ。

とはいえ、拉致問題を北朝鮮による犯罪の疑いがあるとして国会で取り上げ、それを最初に政府に認めさせたのは共産党である。一九八八年、橋本敦参議院議員が予算委員会でいくつも事例を取り上げて詳しく質問し、梶山静六国家公安委員長（当時、故人）が、「北朝鮮による拉致の疑いが十分濃厚」と答弁したのである。当時、拉致問題の集会などがあると、共産党の機関紙である「赤旗」の記者が取材にも行っていた。

拉致問題で左翼が窮地に陥っていた事情

しかし、日朝平壌宣言（二〇〇二年）以前、北朝鮮は拉致にかかわっていることを全面否定しており、日本の左翼全体を見渡すと、社会党のように「北朝鮮がそんなことをするはずがない」というのが主流であった。「日本の植民地支配下の人権侵害のほうが問題だ」として、拉致問題には消極的だったのである。先駆的に拉致問題を追及した共産党も、その後は、「疑惑の段階にふさわしいやり方をせよ」という立場になり、一時期、橋本質問はその立場からズレるものと位置づけられ、「赤旗」も拉致問題の取材には消極的になっていた。

北朝鮮は否定していたとはいえ、一九八〇年の原敕晁《ただあき》氏の拉致については、韓国で捕まった実行犯の辛光洙《シンガンス》が事実を認めて死刑判決が確定していた（八五年）。だから、拉致問題は、「疑惑」というものではなかったのであるが、当時の左翼は、まだ軍事独裁政権下で民主化運動を弾圧していた韓国の裁判の正当性を疑っていたからだろうけれど、韓国における拉致問題の裁判結果にあまり関心を払っていなかったのである。

そうした事情があった上に、日朝平壌会談で北朝鮮が拉致を事実として認め、八名は死亡したと発表されたこともあり、拉致を否定したり過小評価していた左翼は窮地に陥った。二〇〇二年のあと、左翼は挽回を試みようとするが、北朝鮮に対する制裁を求めて高揚する世論は、かつての左翼の弱腰を突いて攻めてくる。その糾弾の嵐のなかで、左翼は茫然自失のような状況に陥っていたのだ。拉致問題が右翼の専売特許になったのはこういう事情があった。

二〇〇四年に再度の首脳会談があり、被害者五名の家族も帰国することになった。しかし、それ以上の進展がなかったことで、家族会は北朝鮮に対する経済制裁を求めるようになり、世論もそれを支持する。

制裁問題での当時の左翼の問題点

当時、蓮池氏には『奪還――引き裂かれた二十四年』（新潮社、二〇〇三年）という著作があった。弟が婚約者とともに突然いなくなって戸惑う日々の苦悩、北朝鮮による犯罪と分かっても国交のカベに阻まれて解決に向かえない苦しさ、ようやく弟夫婦らが日本に戻ってきたあとに「洗脳」を解くための苦闘など、痛みがひしひしと伝わってくる名著である。北朝鮮に対する経済制裁を求める強い気持ちにも共感できた。当時、私はまだ共産党の政策委員会に在籍していたが、最終的には対話がないと解決しないにせよ、被害者の気持ちに共感できないでは、政党として正しくないと考えた。

もちろん問題が対話で解決するのであれば、それが望ましいことは誰にも分かる。しかし、北朝鮮というのは、ラングーンテロ事件や大韓航空機爆破事件など数々の問題を引き起こしながら、自分がやったことさえ認めない国である。拉致を認めたのはその例外として大事であるが、指導者は関与していないふりをしている。死亡したとされる被害者の死亡診断書を出してきたが、それはねつ造されたものだった。

こういう局面が続くにつれ、対話だけで解決しないという気持が生まれるのは自然のことだ。ところが左翼のなかには、北朝鮮に対する経済制裁をためらう傾向が続く。二〇〇四年一月、共産党の政策委員会に小池晃氏が責任者としてやってきた。小池氏が出席する最初の常任幹部会で北朝鮮問題が議題とされることになっており、政策委員会の担当者として打合せを行い、経済制裁にも賛成しようということになる。

その日の常任幹部会は、経済制裁に賛成する小池氏と、反対する他のメンバーとの間で激論になったそうだ。会議を終えて政策委員会にもどってきた小池氏が、「常任幹部会の議論はすごいですね。これに比べると、国会の予算委員会なんて、小学校のクラス討論のようなものだ」と言っておられたのを覚えている。

共産党が公式に経済制裁支持に踏み切るのは、横田めぐみさんの遺骨ねつ造が疑われた二〇〇五年以降のことである。拉致問題を「でっち上げ」などと述べていた他の左翼と異なり、それなりに真剣に取り組んでいた共産党がこうなのだから、全体として左翼が世論から浮いていくのは当然だったのだ。

対話と制裁は矛盾しない

二〇〇六年、ある事情があって、私は共産党を退職する。出版の仕事に就き、拉致問題も含め自由に発言し、行動できる立場になったわけだ。

それでも蓮池透氏に著作執筆の依頼をしに行くのは、少し勇気のいることだった。最初にお会いした段階でガラリと印象は変わったのだが、テレビで拝見しているだけのときは、強面でまわりを厳しく糾弾する人物という感じだった。「被害者を救出するために憲法を変えて自衛隊を北朝鮮に派遣せよ」などとも主張されていた。護憲派だけを相手にするような態度をとっていたら、とうてい会いに行けるような人ではなかったのだ。

しかし、その蓮池氏に変化が見えてくる。ちょうど私の退職に合わせたかのように、『奪還』が文庫化されたので（二〇〇六年）、早速買い求めたら、文庫版独自の「あとがき」があった。そこで、弟から学んだこととして、ただ経済制裁をやるぞとだけ言っても、北朝鮮は「お前たちだって過去の問題を清算しない」と反論してくることなどを挙げながら、経済制裁は「戦略的であるべきで、真相を引き出し、救出につながるものであるべきです。むやみに制裁だけを煽るのはよくない」と述べておられたのである。

拉致問題に真剣に取り組んできた人でないと書けない言葉である。北朝鮮に対するきびしい制裁を求めて死力を尽くしたことによって、北朝鮮の現実をふまえ、最後は対話に結びつけないと問題を解決することができないと悟った人の言葉である。

そう感じた私は、蓮池氏のもとを訪れ、執筆を依頼することになる。拉致問題を解決するために国民的な運動が不可欠だが、現状は右翼・保守側に偏っていること、そこを打開するには思い切って左翼側と協力すべきことを訴え、何回かのインタビューを経て出来上がったのが冒頭に紹介した本である。

国民的な運動をつくろうと、自民党から共産党まですべての政党に送付して、蓮池氏のインタビューを行って政党紙などに掲載してもらうことを提案した。護憲運動が拉致問題で足がすくんでいる現状があったので、九条の会には氏を講演会などに呼んでもらうよう依頼した。前述したように、右の側からも左の側からも評価する声があがったが、政治や救出運動の面で左右の大同団結を実現するには亀裂はあまりに大きく、私も非力だったと感じる。

放射能被害の問題では感情の対立の深刻さを実感する

感情のレベルでの対立があると建設的な議論が成り立たないということは、別の体験からも感じることができる。3・11による福島第一原発事故が生み出した分断のことである。

経過は複雑なのですべては書かないが、私は原発事故の一年目からほとんどの年の3・11

の日は福島で過ごすことになった。一年目に、前出の伊勢﨑賢治氏（プロのジャズトランペッターでもある）のジャズセッションと、同じく蓮池透氏（東京電力社員として福島第一原発三号機、四号機の保守管理をしていた経験がある）の講演会を浜通りで開催し、全国から二〇〇名ほどが参加するツアーを組織し、その後も同様の取り組みを続けたのである。

そういう経緯もあって、原発事故の被害者四〇〇〇名ほどが原告となって開始した生業訴訟（「生業を返せ、地域を返せ！」福島原発訴訟）にも深くかかわることになり、裁判の開催日に傍聴できない原告のため、内田樹氏、大友良英氏、白井聡氏、浜矩子氏、藻谷浩介氏などの講師陣による講演会を開催する仕事も担ってきた。もちろん、関連するたくさんの本も企画、編集してきた。

そのなかで頭を痛めたのが、福島に止まった人たちと、福島から自主避難した人たちの対立であった。原発事故が起きて放射能被害が発生し、日本中が恐怖に包まれた時期があった。政府は避難すべき区域と止まって良い区域を分けたけれども、止まって良いとされた地域でも不安を感じた人びとは少なくなく、その一部は自主的に避難することになる。政府が止まって良いとした基準は、理論的には根拠のあるものだったが、それでもいわゆるホットスポットは存在し、止まった人びとも不安を抱えながら生活を続けることになる。一方、避難した人びとのなかでも、暮らしの必要性からであったり、福島で暮らす人びとの様子が伝わったからであったり、事情はさまざまだが戻る人も出てきた。

この問題でどう判断したにせよ、それはそれぞれの人にとって、自分と家族、子どもの命や健康、暮らしをかけた決断であった。だから、自分の決断が正当なものであると主張するのだが、それは別の決断を下した人には批判として響くことになる。どちらの決断をした人であれ、平常な場面においては、別の決断をした人の考えと行動を尊重することを表明するのであるが、批判された記憶は傷として残っており、なかなか両者が交わることが難しい。何年目かの3・11の日、異なった決断を下した人の交流イベントを開催し、それなりに意味のあるものとなったと思うが、全当事者が集うことはなかった。理論的には一致することは理解できても、感情の対立を残したままでは和解は簡単ではないことを痛感した経験である。

食べたくないという感情を考慮した安全論

そういうなかで、どんな立場の人の心にも届いたのではないかと実感できた本がある。『福島のおコメは安全ですが、食べてくれなくて結構です。』というタイトルで、南相馬市の小高町で農民をしていた三浦広志氏の主張と行動を記録したものだ。

三浦氏は、3・11の一年目に浜通りで開催した前述のイベントで実行委員をしていただき、面識を得た。小高では農業をすることができなくなったため、相馬市の北にある新地町に移り、農業を継続している。国の基準に合致する放射線量に抑えるためのコメ作りに全力をあげつつ、仲間の農民と力をあわせて出荷するコメは全袋検査する体制をつくってきた。毎年の福島ツアーでは、三浦氏らがやっている野馬土《のまど》という産直販売所に顔を出してきたのだが、「福島のおコメは安全です」と胸を張って言えるようになった姿を見てきた。

しかし同時に、三浦氏は顔をニコニコさせて、「食べてくれなくて結構です」と言うのである。ツアー客は驚きながら爆笑する。もちろん、三浦氏とて、本心では食べてほしいのである。しかし、避難先から福島に戻れない人がいるように、「福島のコメは汚染されている」と心に染みついた人びととの感情が溶けることは簡単ではない。そういう人に「安全だから食べよう」と声をかけても、かえって反発を食らうだけだ。理論と生活感情がかみ合わないのである。それだったら、その感情に寄り添ってやっていこうというのが、三浦氏が考えたことである。

福島の農民も、福島のコメを恐いと思った国民も、等しく原発事故の被害者なのだから、分断されてはならない。責任をとらなければならないのは、事故を起こした東京電力と間違った原発行政を続けてきた国なのだから、団結してそこに目を向けていこうと、三浦氏は呼びかける。

東電の福島の社員は被害者でもあるから

闘いの始まりも同じだった。もう忘れた人も多いだろうが、原発事故が起きた翌四月二六日、東京電力本社前で、福島の農民が牛を引き連れてデモをして話題になった。「東電、俺げの田んぼ汚したな　許せね」と書かれたむしろ旗も見えた。あのときも、農民の仲間の間で、福島にある東電の支社で座り込みすることが提起されたが、「支社には被害者もいてがんばっている。県民を分断することにならないか」と大激論になり、三浦氏が「それだったら東京に行こう」と発言し、みんなが支持したのである。

この本、サブタイトルを「三浦広志の愉快な闘い」とつけた。帯の文章は、「福島のコメは安全だという声と、食べるのが恐いという声と、その接点がここにある」。理論と感情の接点をこうやって追い求めてきたのである。

福島の浜通りは現在、帰還対象になっている場所であっても、若い人たちはなかなか戻って来ない。高齢者の割合がどんどん増えていく。あるとき三浦氏に「先の展望は見えづらいですよね」と話しかけたら、こんな答えが返ってきた。

「いやいや、福島を高齢者夢タウンにしようと思っているんです。どんどん高齢者を増やして、国の責任で医療や介護を充実させていく。そうやっていけば、医療や介護の仕事を求めて仕事のない若者たちがどんどんやってくるようになりますよ」

2 立場への共感以前に「心」の通い合いが大事だ

「議論と生活感情とが離れてはいけない」

分かり合い、理解し合うための「共感」は、主張している内容に対するものでなくてもいいと感じたのは、小説家で詩人でもある辻井喬氏（故人）とお会いしたことからである。実業家としての本名は堤清二。西武百貨店を代表とするセゾングループの代表で、無印良品を生み出したことでも知られ、自民党の有力政治家とも交流があった。一方、戦後すぐに東京大学在学中に共産党に入党したこともあり、共産党分裂の影響を受けて除名されるも、左翼運動にも理解を示してきた人である。

その辻井氏にどうしても本を書いてもらいたいと思ったのは、二〇〇八年のことだ。全日本民主医療機関連合会の総会で講演した要旨が、その団体の機関紙に以下のように掲載されていたのである。

「また、考えるべき点として『議論に勝っても相手が敵意を抱いては勝ったことにならない。議論と生活感情とが離れてはいけない。理論と感情がバラバラで構わないという態度が、理論を弱くする』と指摘しました」（民医連新聞二〇〇八年三月二四日）

「打ちのめされる」という言葉がある。生まれてはじめて、そういう感情を抱いた。左翼の言葉が結局は人びとの心に届かず、多数派になれないのは、そこに原因があるのかも知れないと思った。相手を打ち負かす議論に終始していると、たとえ議論に勝ったとしても相手の心に傷を残すので、仲間を増やせないのではないかと感じたのである。

すぐに連絡を取ってお会いし、執筆の了解を頂いた。ちょうどその一時期、私と同じような問題意識をもって刊行されていた『ロスジェネ』という雑誌があったのだが（「超左翼マガジン」と自称していた）、その編集長だった浅尾大輔氏にインタビュアーになってもらい、憲法や暮らしなど全般にわたって、どうやったら人の心を動かすような言葉を発することができるのかを語ってもらったのである。『心をつなぐ左翼の言葉』と題して刊行された。

言葉は通じなくても心を通わせてみる

その本の内容をここで紹介はしない。活字になっていないことで是非残しておきたいのは、氏を迎えて出版記念講演会を京都で開催したときのことである。

講演が終わり、参加者からの質問に答える時間になった。本や講演の内容に関する質問が続いたのだが、最後の人の質問は次のようなものだった。

「自分は結婚して数十年で、お盆や正月に妻の実家に帰る度に、義父と議論をしてきた。先の大戦が日本の侵略戦争だったのは間違いないことなのに、義父は自衛戦争だと言い張る。そこで何十年も言葉をつくし、角度も違えて説得してきたのに、自分の言葉は通じていない。どういう言葉を発すれば義父の考え方を変えることができるだろうか」

辻井氏は少しの時間、考えていた。そして、やさしい笑顔になって、こう答えたのだ。

「せっかくのお義父さんとの大事な時間なのですから、議論してもいいのですが、その前に、少しお酒でも酌み交わし、人として心を通わせてはどうでしょうか。そうすれば、お父さんの心のなかに、あなたの主張することに耳を傾けてみようという気持が生まれるかもしれません。いや、あなたのなかにもお父さんのことを理解しようという心が芽生えることだってあるでしょう」

これは、先ほど引用した「議論に勝っても相手が敵意を抱いては勝ったことにならない」とか、「議論と生活感情とが離れてはいけない」という指摘と同じことだったのだろう。誰かに自分と同じ立場に立ってほしいと思うことはある。だが、それは相手に対して、「あなたは間違っている」と言うことなのだ。他人からそういう言葉を吐かれれば、普通はいい感情を持つことは難しい。それでも「聞いてみよう」と思わせるには、感情のレベルで良好な関係を持っていることが大事である。ましてや家族になって何十年、会う度に議論をふっかけられるのでは、家族としての絆も感じることができない。そんな指摘だったのではないだろうか。

別の角度から言うと、感情のレベルで共感できないと、理論のレベルの共感にはつながらないということだ。逆に、感情のレベルで共感し合うことができれば理論のレベルでの説得につながるということでもある。

「自衛隊を活かす会」は偶然でもあり必然でもある

よく考えてみれば、本書の前半部分で登場した柳澤協二氏の変化にも、感情レベルでの共感があるかもしれない。柳澤氏の本を出すようになって、いろいろなところからの講演依頼が私のところにも寄せられた。ほとんどを引き受けていただいたのだが、あるとき九条の会からの依頼を伝えると、「九条の会だけには行きたくない」と強い言葉で述べるのを聞いた。それまで柳澤氏の口から九条を否定する言葉を聞いたことはなかったのだが、やはり防衛官僚のトップだった方にとって、九条とは自分を否定するようなものであっただろうから、九条の軍事戦略は許容できても運動体とは関わりたくないのか、なかなか厄介なものなのだと自覚したものである。それでもしばらくする内に変化が生まれる。

最初につくった柳澤氏の本は、防衛関係者だけが対談相手の本であり、いわば身内の対談集であった。けれども、次に出版する本はイラク戦争に関わったご自分の総括的なものとすることになったため、私はイラク戦争に反対した市民運動の代表や、同じくこれを批判したメディアの方などとも対談することを提案し、実現した。柳澤氏はその過程で、市民運動というのは日本有事の法律をつくるのにも反対するのかとびっくりしたり、自分の子どものような年齢の市民運動家の立派な振る舞いに感心したり、いろいろな出会いがあったようである。

その内に、引き続き各地の九条の会からの講演依頼が舞い込むようになり、ではどうするかと考えて、主催者名を別の団体に変えてもらったりもした。ただ、実態は同じなので、講演後の懇親会で名刺交換をすると、九条の会の関係者だったりすることが分かる。それでも、実際に付き合いはできているので、九条の会といっても鬼でも蛇でもなく、普通に談笑し、理解し合える人の集団だということが伝わっていったはずである。そういうなかで、九条の会であっても講演依頼に応じてくれるようになっていったのだ。感情面での共感は大事である。

「自衛隊を活かす会」は偶然の産物である。イラクに派遣された自衛隊を統括した経験から日本の防衛政策を疑った柳澤氏と、共産党の憲法防衛問題での対応を疑問に思った私の出会いがなければ、このような会が生まれることはなかった。防衛政策で別の選択肢を提示するという当初の目的は果たしつつあるし、呼びかけ人全員が高齢世代に属するから、いつまでも存続するようなものではない。

しかし同時に、「自衛隊を活かす会」は、憲法防衛問題で左と右の相容れない論争が果てしなく続くなかで、別の選択肢を求める世論が生みだしたものでもあったと言える。その点ではやはり必然だったという要素もあるし、似たような試みは別の人びとによって継続されていくと思うのだ。

憲法防衛問題であれ、歴史認識問題であれ、はたまた別の問題であれ、左右の極論は極論として、多くの国民が一致するものを世論が求めるなら、同様の試みは誰でもできるものであるはずだ。そのような試みが絶えることのないように期待したい。

補章

産経新聞デジタル・iRONNAへの投稿から

（掲載されたものに一部加筆訂正し、タイトルと小見出しは独自に付けた）

1　百田尚樹『日本国紀』を読む

（二〇一九年一月六日から掲載）

百田尚樹氏の『日本国紀』は、発売当初から読みたいと思ってきた。なぜかというと、ただ話題になっているからではなく、編集者の一人としても、歴史に関する著作もあるジャーナリストとしても、一個人の手になる日本通史の描き方に大いに関心を持ってきたからである。

左派が日本通史を書いていた時代

私が青春を過ごした一九七〇年代は、マルクス主義と史的唯物論の影響を受けた戦後歴史学が影響力を持っていた時代であり、日本通史についても井上清の『日本の歴史』（上中下巻・岩波新書）などが幅を利かしていた。それは誤解を恐れずに言えば、国家権力に対する民衆の闘いが歴史を変革してきたという立場に立ち、現在の資本主義社会も永遠ではないことを教えようとするものであった。

そのような「歴史観」が前面に出る歴史学のあり方には、当時から内外より批判と反省もあり、歴史の描き方をめぐる模索があった。しかし、ソ連の崩壊により、資本主義が社会主義に変わるという史的唯物論の根幹が挑戦を受けたことをきっかけとして、歴史観を持った歴史学は衰退していく。

それでも、九〇年代半ばまでは、網野善彦『日本社会の歴史』（上中下巻・岩波新書）に見られるように、一人の歴史学者が日本通史を描く試みは続いていたのである。この本は、「奴隷制社会、封建社会、資本主義社会などの……社会構成の概念だけで、人類社会のきわめて多様なあり方をとらえうるかが、事実そのものの力によって問われている」（下巻「あとがき」）として、史的唯物論をそのまま日本社会に適用する態度を批判する立場を明確にしている。それでも、では史的唯物論に代わって、「事実そのものの力」を持ってどんな通史を描けるのかという問題意識が貫かれたものであった。

しかしその後の歴史学は、網野のこの問いかけを受け止め、発展させるようなことがなかったように思う。少なくない歴史学者は、歴史観や歴史の全体像にも関心を持っていたではあろうが、発表される著作を見れば分かるように、自分の専門分野を深く掘り下げる仕事に集中していった（違う方もいることは承知の上であるが）。歴史学は科学性を深めた一方、「暗記物」とみなされるようになり、若者の関心も薄れていくことになる。歴史観が保たれていたのは、ちょうど一九九五年が戦後五〇年であったことも関係し、明治以降の日本を侵略と植民地支配の時代と描くものに限られ、日本通史への挑戦はなくなっていく。

「歴史修正主義」による通史の登場と『日本国紀』

そこにあらわれたのが、一九九九年に刊行された西尾幹二『国民の歴史』に代表されるもので、戦後初めて登場した右派による通史であった。もともとドイツの文学・思想の研究者である西尾氏の著作であったから、日本史学の到達をふまえたものではなく、学問的には大きな批判を浴びたけれども、国民の間では一定の支持を集める。歴史学の全体が日本の戦争責任の解明に集中するなかで、日本の歴史は誇っていいものだという呼びかけには、それなりに国民の心に響くところがあったのであろう。その後も、学問の世界においては引き続き真面目な成果が出ているが、国民のなかではいわゆる「歴史修正主義」が跋扈する状況が続いてきた。

その頃から私は、編集者として、ある歴史観を持って日本の通史を描く著作を刊行したいと考え、多数の歴史学者に接近していくことになる。それを通じていくつかの著作が生まれ、現在も進行中ではあるが、どれも複数の著者によるものだ。特定の強烈な歴史観で日本通史を描くことについて、やはり一人が挑戦することが不可欠だと考えて働きかけてもいるが、まだ実ってはいない。学者ではない人に依頼するしかないかと悩んでいるのが現状だ。

百田氏の『日本国紀』は、そういう私の模索の過程で登場した。もちろん、西尾氏から続く右派の通史であり、立場が異なることは承知している。しかし、素人であっても通史を書こうとするわけだから、歴史学の成果を我が物にしようと努力したであろうし、それがどんな影響を百田氏に与えたかには、同じく学者ではない人による通史の刊行も考えている私には関心がある。また、通史を書こうとするなら不可欠な問題意識というか、国民に何を問いかけようとするのかは、左右の立場の違いを超えて学ぶものがあるのではないかとも感じた。『日本国紀』を真剣に読んだのは、以上の理由からである。その結果はどうだっただろうか。

日本人を「一本の線」で描くという意欲

読み進めてしばらくは、ある期待を持っていたことを正直に告白しておく。まず、本の帯に大きく、「私たちは何者なのか——。」とあり、それが本書全体を貫くテーマなのだと分かるが、その問題意識は悪くない。

網野の『日本社会の歴史』も、「現代の日本人および日本国はいかなる歴史的な経緯をへて形成されてきたのかを追求し、さらに、その経緯そのものに否応なしに規定された現代日本の抱えている諸問題を明らかにしてみたい」（上巻「はじめに」）という問題設定が冒頭にある。『日本国紀』は、「二〇〇〇年以上にわたる国民の歴史と激動にみちた国家の変遷を『一本の線』でつないだ、壮大なる叙事詩」（帯文）とあって、立場は違っても、日本人というものを「一本の線」で描くという意欲は伝わってくる。

そして早速、弥生時代の記述の箇所で、「私たちは何者なのか――。」の萌芽が出ている。『魏志』の記述を引用するかたちで、「私たちの祖先が、他人のものを盗んだり、他人と争ったりしない民族であったということを、心から嬉しく思うのである」と書かれているのだ。

立場の違う人に対するネット上での百田氏の激しい批判を見ていると、言葉は悪いが、「お前が言うか」と思うのだ。しかし、歴史学を学んだ百田氏がもしかしたら「他人と争ったりしない」方向に転換を試みているのかもしれないし、「他人と争った」近現代史に新たな見方が提示されている可能性もあるので、この時点で突っ込みはしないで読み進めた。

また、古代の話を読んでいると、歴史学の成果と無縁に書かれているというのでもないことが分かる。例えば「神武東征」について、百田氏は当然のこととして信じている。記紀の記述であって神話だから歴史学の対象としないという考え方もあり、「やはり百田だ」と思う人もいるかもしれない。しかし、当の歴史学会のなかでは、「神武東征」をそのまま事実と捉えなくても、似たような現実は存在していて、それが中身やかたちを変えながら記紀の記述につながったと考えるのが、一つの大きな流れである。「作り話にしては妙にリアリティがある」「わざわざ負けた話を創作するのも不自然である」と百田氏は書いているが、そこは私も共有する。

学問か政治的プロパガンダかを分けるもの

ただ、最初に違和感を感じたのは、「万世一系」の問題である。日本の皇室は、神武天皇以来、同じ系統で面々と続いてきたという問題だ。

のちに「神武東征」に喩えられるような事実は過去にあったのだと私は思う。しかし、たとえそうであったとしても、神武天皇が現実の存在ではなかったことも、現在の天皇家が神武天皇の系列ではないことも、歴史学の世界では常識に属することである。

百田氏も、『日本国紀』を執筆するにあたって、歴史学の成果をそれなりに渉猟したのであろうから、そこには気づくことになる。継体天皇のことを記述する際、「歴史を見る際にはそうしたイデオロギーや情緒に囚われることは避けなければならない」として、次のように述べるのである。

「だが、継体天皇の代で王朝が入れ替わったとするなら、むしろ納得がいく。……現在、多くの学者が継体天皇の時に、皇位簒奪（本来、地位の継承資格がない者が、その地位を簒奪すること）が行われたのではないかと考えている。私も十中八九そうであろうと思う。つまり現皇室は継体天皇から始まった王朝ではないかと想像できるのだ」

これは、誰が見ても、日本の皇室は「万世一系」ではないということを意味している。百田氏の言葉を引用すると、現在の天皇家というのは、「本来、地位の継承資格がない者が、その地位を簒奪」して誕生したということだ。ところが百田氏は、この本の最後の最後まで、「日本は神話とともに誕生した国であり、万世一系の天皇を中心に成長した国であった」(「終章　平成」の冒頭部分)と、「万世一系」に固執しているのである。

歴史に限らず、何かの真理を探究しようとすると、誰もが同じような体験をすることがある。私も含め人はある特定の考えに縛られざるを得ず、ネットの世界ではよく言われることだが、自分の考えにあったものだけを信頼しがちである。それしか見えないこともある。けれども、真面目にものごとを追求していけば、自分の考えとは異なる事実が存在していることに直面することがしばしば起こる。その際にどういう態度をとるかによって、書いたものが学問的な価値のあるものになったり、ただの政治的プロパガンダに堕したりするのだ。

百田氏もただ無邪気に「万世一系」を唱えているわけではない。継体天皇が神武天皇の系列にないことを前提とした「万世一系」論を構築しているのである。継体天皇が新しい王朝を打ち立てたと宣言しなかったのは、その当時から、「『天皇は万世一系でなければならない』という不文律があったから」だというのだ。つまり、神武天皇に相当するような人がいたとして、別の実力者がその系列の王朝を打倒したとしても、「自分はその跡継ぎだ」と宣言するような思想があったから、「万世一系」であることに変わりはないというのが、百田氏の考え方なのである。

そういう思想が当時に存在していたかは、素人の私には分からない。しかし、歴史の現実は「万世一系」ではないことを認めておきながら、なおかつ「万世一系」と言い張るのでは、少なくとも歴史書の名に値するかという問題が生まれてくることは避けられない。私は百田氏に中立性や脱イデオロギーを期待するものではないし、自分自身が歴史書を書く場合もそうではないと自認しているが、いろいろな探求の末にめぐりあった真実から目を背けてはならないと考える。百田氏は、神武天皇の系列は継体天皇のところで途絶え、「万世一系」とは言えないこと、現在の天皇家は資格のなかったものが実力で地位を簒奪したものであることを、堂々と明言すべきではなかろうか。

ただただ光に満ちた歴史を持つ国はない

『日本国紀』ではその後も、日本人のすばらしさについての記述が多い。近現代にいたるまでに限定し、いくつかを挙げてみると――。

「神道は世界の多くの一神教のように、他の宗教を排斥したり敵視したりするものではなく、そのため仏教をも受け入れることができた」

「世界の国のほとんどが専制独裁国であった時代に、『争うことなく、話し合いで決めよう』ということを第一義に置いた憲法（聖徳太子の17条憲法）というのは、世界的にも珍しい画期的なもの」

「『万葉集』は現存する最古の和歌集であるが、……農民や防人など、一般庶民ともいえる人々が詠んだ歌も数多く入っている。……千三百年も前にこれほど豊かな文化を持った国が世界にあっただろうか。しかも優れた歌の前では身分は一切問われなかったのだ」

「（紫式部の『源氏物語』などを例にとり）日本以外の世界を見渡せば、女性が書物を著すのは近代になってからである。……これほど女性の地位が高い国はない」

「（源平の戦いについて）この戦いが、武士のみで行なわれたものであるということだ。一般民衆はまったく巻き添えになっていない。一方、ヨーロッパや中国では、戦争となると必ず市民に多くの犠牲が出る」

「江戸時代の庶民が数学を勉強したのは、出世や仕事のためではない。……純粋に私的な愉しみとして取り組んだのだ。世界を見渡してもこんな庶民がいる国はない」

「（火事や地震があっても）江戸の町はそのたびに驚異的なスピードで復興している。これほどの復興力を持った国は世界に類を見ない」――等々。

私とて、この日本を愛する日本人の一人として、日本と日本人はすごいなあと思いたいし、そう思わせるだけの現実もあると考えている。この二〇年ほどの間、歴史学会においては、日本の戦争の罪を問い詰める著作が多かっただけに、日本にはいいところもあったと強調したい気持ちがあることも理解する。百田氏が指摘する多くのことのなかにも、真実が含まれているのだろう。

けれどもまず、常識的に考えてみても、人間というのは複雑な生きものであって、欠点のない人間は存在していない。百田氏自身には欠点がないのかもしれないが、日本人全体がただ優れただけの生きものとして存在することなど、現実にはあり得ないことである。歴史をただ光に満ちたものとして描くことは、逆に現実から遊離することにならないだろうか。

テーゼに縛られ現実が見えていない

しかも、百田氏の日本史の捉え方は、いま引用した文章でも分かるように、世界との対比で日本を際立たせようとするものだ。「世界的にも珍しい」、「ヨーロッパや中国では」、「世界に類を見ない」、「世界を見渡しても」として、世界は劣っているが日本は優れているという論法なのである。

それらの指摘のなかには事実が含まれるのかもしれない。しかし、世界一九〇か国の歴史を調べたことのない私には分からないし、百田氏が比較のもととした資料などが提示されるわけでもない。そういう制約があっては、歴史学の成果をふまえた論考というより、政治的なテーゼが提示されているだけと言われても仕方がない。

実際、これらのテーゼと対立する歴史の事実に百田氏が直面し、戸惑う様子も見えてくる。一つだけあげると、「(日本の戦争では)一般民衆はまったく巻き添えになっていない」と百田氏は言うが、現実に反する認識である。百田氏自身、織田信長が延暦寺との戦いで、「寺を焼き尽くし、僧だけでなく女性や子供まで数千人を皆殺しにした」とか、一向一揆の鎮圧で、「女性や子供を含む二万人を皆殺しにしている」と、民衆が巻き添えになった様子を描いている。

それでも百田氏は、信長だけが例外だと強弁するのだが、事実はどうだろうか。例えば、戦国時代の幕開けとなった応仁の乱だが、『日本国紀』でも「京都市街が戦場になり、足軽たちの放火や略奪が横行し、市街の大半が焦土と化した」と書かれているではないか。民衆が巻き添えになったということである。評判になった『応仁の乱』(中公新書)を見ても、それを背景にして疫病が流行し、多くの人の命が失われた記録も残っている。槍で殺されなければ「巻き添え」と言えないということかもしれないが、それならば大半が飢え死にであった第二次大戦の日本兵も「戦争で死んだ」とみなせなくなってしまう。

テーゼは大事だが、それに縛られると真実が見えなくなってしまう。その典型がここにあらわれていると感じる。

日本が植民地にならなかった光は影と一体のもの

明治以降の日本の歴史の描き方についても、同様の感想を持つ。日本の優れた点がいろいろと書かれるが、光だけでなく影もあわせて見ようよと感じてしまう。この時代の戦争の体験は、現在の日本と日本人、日本と周辺国の関係を直接にも規定するものだけに、リアルさが求められるのである。

論点はたくさんあるが二つに限る。まず日本が独立を保ったことの意義と、韓国の独立を奪ったこととの問題である。

百田氏は、『日本国紀』のいろいろな箇所で、列強がアジアを植民地支配するなかで、日本が独立を保ったことを誇ってみせる。さらに、幕末に結んだ不平等条約もやがては撤廃し、欧米と肩を並べるまでにいたったことを喜ぶ。この気持ちは私も共有する。日本人が誇っていいことだ。この過程においては、日露戦争での勝利が大きな意味をもっており、百田氏が強調するように、それが植民地からの独立を願うアジアの人々を励ましたことも事実である。

だが、日本の独立と発展は、他の事象と切り離されては存在していないことを忘れてはならない。どういうことだろうか。

不平等条約の最終的な撤廃は一九一一年である。五〇年間の努力が実を結んだのだ。外交的な努力もあっただろうが、決定的だったのはそれではない。一八八〇年代から、朝鮮半島の支配権をめぐってイギリスとロシアは争っており、イギリスのなかには日本を利用してロシアに対抗しようとする動きがあった。イギリス政府に近い「ロンドン・タイムス」は八四年一二月、「(ロシアと対抗するという) 目的を一挙に達成する手段として、イギリスは日本の条約改正要求に積極的に」なるべきだとの論評も掲げていたそうだ(井上清『条約改正』岩波新書)。ただ当時、ロシアに対抗するというイギリスの思惑に応えるには、日本はまだ非力であった。しかし、九〇年代、日本は軍隊を海外に出せるだけの力をつけ、日清戦争が開始されると、イギリスは領事裁判権を放棄することになる。また、日露戦争に日本が勝利し、韓国を併合するだけの力をつけると(一九一〇年)、日本は翌年に関税自主権も獲得するのである。

つまり、日本が独立を確固としたものにできたのは、朝鮮半島の独立を奪い、植民地にしたことと一体なのである。光と影は一体のものとして存在しているのである。しかも、朝鮮半島の人びとにとって、欧米は突如としてやってきた異邦人であったが、日本はケンカ相手としてであれ友好の対象としてであれ、ずっと共存してきた仲間内の国であった。そういう国に植民地にされた人びとの気持ちが複雑なものになることは当然のことであろう。

国民の誤りを指摘するが政府の誤りには目をつむる

もう一つは、百田氏の言う「大東亜戦争」のことである。百田氏は、「日本が戦争への道を進まずに済む方法はなかったのか——。私たちが歴史を学ぶ理由は実はここにある」と述べているから、どんなことを学んだのかと思って読んだのだが、残念ながらどこにもそれらしい記述は見当たらなかった。

満州事変について言えば、「満州は古来、漢民族が実効支配したことは一度もない」と強調され、国際連盟が日本の撤退を求めたことを批判する。それに続く中国との全面戦争は、「確固たる目的がないままに行なわれた戦争」とされている。「気がつけば全面的な戦いになっていた」そうだ。他方、太平洋戦争のきっかけとなった「ハル・ノート」を論じる箇所では、満州は当然のごとく中国の一部だと日本政府が考えており（満州事変の時は中国の一部ではなかったはずなのに）、だから「日本が……中国から全面撤退する」という要求がのめなかったとされる。戦争に踏み切ったのは、「ハル・ノート」を受け入れると、「欧米の植民地にされてしまうという恐怖」が生み出したものだそうなのだ。

ここのどこにも、「日本が戦争への道を進まずに済む方法」への示唆はない。唯一、それらしい箇所があるとすると、それ以前の日清戦争を論じた箇所の次の記述である。

「清から多額の賠償を得たことで、国民の間に『戦争は金になる』という間違った認識が広がった。その誤解と驕りが『日露戦争』以後の日本を誤った方向へと進ませた」

「国民の間の間違った認識」が日本を誤らせたということである。そう言われると、太平洋戦争を論じた箇所でも、「日本はそれでもアメリカとの戦争を何とか回避しようと画策した」と、その「努力」のあれこれを列挙した上で、ここでも「国民の誤り」に言及する。

「日本の新聞各紙は政府の弱腰を激しく非難した。満州事変以来、新聞では戦争を煽る記事や社説、あるいは兵士の勇ましい戦いぶりを報じる記事が紙面を賑わせていた。……『日独伊三国同盟』を積極的に推したのも新聞社だった」

国民や新聞社の戦争責任がないとは言わない。いや、それは存在するし、重大でもある。しかし、政府は戦争を回避しようとしたが、国民が煽ったから戦争になったというのでは、「日本が戦争への道を進まずに済む方法」は見えてこないのではなかろうか。現在の日本において、百田氏も含む国民の言論が戦争につながる可能性への自戒を書いたのが『日本国紀』だととらえれば、意味のある指摘かもしれないけれども。

読むのも辛い戦後の日本人批判

以上、『日本国紀』の問題点をあれこれ指摘してきたが、それでも第二次大戦中の記述までは「当代一のストーリーテラー」（帯文）の面目躍如という要素もあったから、それなりに楽しく読み進むことができた。政治的立場やイデオロギーは違うことは分かっていたし、それでも百田氏がいろいろと努力して学んだ成果も見えていて、もっと肯定的な論評にする予定だったのだ。しかし、大戦後の叙述を読んだあとは、「これは歴史書ではない。日本通史はこのように描かれてはならない」と結論づけるにいたった。なぜか。

『日本国紀』のそれまでの叙述では、日本人のすばらしさが強調されてきた。これまで述べてきたように、そこには光だけを取り上げる行き過ぎもあり、他国を貶める問題もあるのだが、立場の違いとして見過ごせる要素もあった。

ところが戦後の話になると、叙述の視点そのものが変わってくる。百田氏は「これほど書くのが辛い章はない」と述べるが、「読むのも辛い」ものとなっていく。どう変わるかと言えば、突然、日本人が批判の対象とされるのだ。それまで日本のすばらしさが強調されたのは、現在の日本人のあり方を糾弾するためにあったのだと、ここに来て気づくことになる。百田氏の言葉を引用すると、戦後の日本と日本人というのは、次のようなものであった。

「『敗戦』と、『GHQの政策』と、『WGIP洗脳者』と、『戦後利得者』たちによって、『日本人の精神』は、七〇年にわたって踏みつぶされ、歪められ、刈り取られ、ほとんど絶滅状態に追い込まれた」

WGIPというのは、「ウォー・ギルト・インフォメーション・プログラム」のことで、戦争についての罪悪感を日本人の心に植え付けるためのGHQによる宣伝計画とされるものだ。要するに、アメリカの占領政策によって、戦前の日本の伝統が根こそぎ崩壊したという主張である。その象徴が日本国憲法であり、「日本らしさを感じさせる条文はほぼない」とされる。そして、失われた伝統、日本のすばらしさを取り戻すのが現在の課題であるというのが、本書の結論である。

この結論を導くためには、日本人全体がWGIPに犯されていると主張する必要がある。そのため百田氏は、「共産主義的な思想は日本社会のいたるところに深く根を下ろして」いると述べる。日本人が先の大戦を侵略戦争だとみなし、周辺国に謝罪しているのも、その影響なのだそうだ。

百田氏が先の大戦を侵略戦争と考えないのは分かっているし、そう考える人を糾弾するのは自由である。迷わずにやればいい。けれども、そういう思想を「共産主義」だと位置づけ、それが日本全体を覆っているかのような見方は、事実として成り立たないだろう。戦後の日本では、共産主義と対峙した自民党政権がほとんどずっと続いており（他方で共産党は少数のままであり続け）、その自民党政権は先の大戦を侵略とみなすことを拒否し続けてきた一事をもってしても、それは明らかである。証明すら不要なことだ。

歴史に名を借りた政治的主張に過ぎない

百田氏は、そういう結論を持って戦後史を眺めるため、いろいろな場面で矛盾に直面する。いくつかを挙げよう。

独立後すぐ、戦犯を赦免するための署名運動が起こり、四〇〇〇万人が署名したのだが、これはＷＧＩＰによる洗脳説では説明できない。すると百田氏は、「洗脳の効果が現れるのは、実はこの後なのだった」と、論理の破綻を糊塗しようとする。

六〇年安保闘争を批判し、それに参加した人が少数であったことを強調するため、直後の総選挙で自民党が圧勝したことを指摘するのだが、それは選挙時の有権者がすべてすばらしい伝統を持っていた戦前生まれだったからだというのだ。じゃあ、すばらしい日本の伝統を受け継がない戦後生まれ（共産主義に洗脳もされている）が多数になった現在でも自民党が選挙で勝ち続けていることは、いったいどう説明するのか。

要するに、『日本国紀』というのは、歴史を叙述したものではないということだ。歴史に名を借りて、百田氏の政治的な主張をちりばめたものなのである。

冒頭から書いているように、歴史を描くのに、政治的・イデオロギー的な中立性は必ずしも必要ではないというのが私の考え方である。しかし、そうであっても、自分の政治的・イデオロギー的な立場と矛盾する事実に直面したとき、それを隠さないで、あるいは歪めないで、どう対応するかが学問に求められる最小限の節度である。ある場合は、さらなる探求の結果、もとの立場に矛盾しない説明方法が見つかるかもしれない。別の場合、自分の立場を修正する必要性が生まれてくるかもしれない。それが学問というものである。『日本国紀』はその節度から外れているというだけでなく、最後の結論部分にいたっては、政治的主張のために学問を歪めるものである。

私が誰か一人の個人に日本通史の執筆を依頼する時は、そういうものにしてほしくないことをまず言うことになるだろう。『日本国紀』は、その重要性を自覚させてくれた点で、私にはそれなりの存在意義を持っていると考える。

2 共産主義国に生まれたら、「コミューン革命」をめざしていた

（二〇二〇年三月一九日から掲載）

大学生になってまもなく、一九七四年にコミュニストになった。当時の大学というのは、

生協の建物に入るともっとも目立つところに『資本論』が山のように積まれており、コミュニストでなくても友だち同士で『共産党宣言』の輪読会をするような雰囲気に包まれていた。

一家四人が六畳一間で暮らすような貧しい家庭に育った。貧しさから解放されて親に楽をさせてあげたい、そのために商社か銀行に勤めたいということが、大学（一橋大学）を選んだ最大の動機だった。だが、共産主義の思想を勉強して感じ取ったのは、自分一人が解放される道を選ぶのではなく、貧しさにあえいでいる多くの人びとをともに解放することが大事であり、そのためには共産主義をめざすべきだということだったのだ。

マルクスの理論とかけ離れていたソ連の実態

とはいっても、目の前の共産主義国家のていたらくは、目を覆いたくなる惨状である。当時、中国に存在感はなかったが、ソ連はその後もずっと続く一党独裁の国で、小説『収容所群島』で強制収容所の実態を暴いたノーベル賞作家のソルジェニーツィンを国外追放するなど（七四年）、世界中からひんしゅくを買っていた。アフガニスタンを侵略するなど（七九年）、世界の平和を脅かす存在でもあった。

政治体制がダメなのは常識だが、経済は少しは良かったのかというと、そんなこともない。共産党指導下の青年組織である民主青年同盟の国際部長を務めた時期があったのだが（八〇年以降）、「発達した社会主義国」を標榜するソ連の共産主義青年同盟（コムソモール）の代表がやってくると、「全般的危機」にあるはずの資本主義国の我々に対して、「シェーバーをプレゼントしてほしい」とおねだりするのである。日本製のものを渡そうとすると、「いや、ひげが濃いので、ブラウンでなければ」とごねる。社会主義国の指導的立場にある人でも、自国の体制が優位にあるなど少しも思っていないどころか、外に向かってそれを隠そうとさえしなかったわけだ。

そもそも出発点が低かったのだから仕方がない、貧しいなりに社会主義らしく平等を重視したり、人間を大切にしているところを評価しようと努力もしてみた。例えば、妊娠した女性に対する産休や育児休暇の保障などは世界レベルでも高い数値であり、「男女平等の分野では優位なところがある」と宣伝したこともある。確かに、統計の数字上は、そういうことも言えた。しかし、のちにＩＬＯの報告などで明らかになったのは、ソ連ではそうやって女性に特化して権利を保障することによって、女性だけが育児や家事にしばりつけられる不平等社会が築かれていたということだ。

カール・マルクスが唱えた共産主義というのは、マルクス主義を知っている人にしか通用しない言葉ではなく、現代の国際政治でも通じる概念に置き換えて言うと、国民の自由権（政治的権利など）も社会権（生存権など）も、等しく高いレベルで保障されている社会のはずであった。ところが現実の社会主義はそれとは真逆の存在だったわけである。

「もしも」の話になるけれど、自分がソ連や中国、北朝鮮で生まれていたとしたら、そしてコミュニストとしての素養を積んでいたら、その国の体制を容認できるのかが問われていた。私は、自分が学んできたコミュニズムの思想と照らして、目の前の体制が社会主義だとは少しも思わないだろうし、その体制を打倒しなければならないと決意するだろうと考えた。共産主義と言えばソ連型のような社会しか想像できない当時の状況では、倒れた先に資本主義しか待っていなかったことは歴史の必然だったと考える。

当時の共産党は社会主義国にも異論を唱えていた

それでもなお、私はコミュニストであり続けた。なぜなのか。それは何よりも、日本のコミュニストの代表格である共産党が、ソ連の独裁体制や覇権主義と公然と闘っていたからだ。一九四八年の世界人権宣言以来の努力によって、組織的で広範囲な人権侵害は「国際問題」とされ、外部からの批判は内政干渉にあたらないという慣行がつくられてきた。ソルジェニーツィン一人だけの人権侵害のような場合は国際問題とはみなされないわけだが、日本の共産党は、そうした国際慣行にもかかわらず、「ソルジェニーツィンへの迫害は国際問題だ」としてソ連共産党をきびしく批判してきた。アフガニスタンへの軍事介入や核軍拡路線にも公然と異を唱えてきた。人権侵害も覇権主義も「社会主義の原則に反する」という立場からだ。当時、私も民青同盟の代表として国際会議などに参加し、ソ連批判を展開することがあったが、相手からどんな反撃があっても屈服してはならないとの日本共産党の指導を忠実に守り抜いたものである。

ソ連が崩壊したとき、日本共産党が直ちに「もろてを挙げて歓迎する」という談話を出せたのは、そういう過去の実績があったからだ。「ソ連は社会主義ではなかった」という大胆な認定も行った。当時の私は金子満広書記局長（故人）の秘書をやっていたが、後援会の旅行で祝杯をあげ、「ソ連崩壊で万歳をしている共産党は世界のなかで日本共産党だけだろう」という金子さんの挨拶を聞いたことを鮮明に覚えている。

ソ連崩壊の直前の一九八九年、少しずつ存在感を増してきた中国で、あの天安門事件が起きた。これについても日本共産党はきびしく批判し、中国共産党のことを「鉄砲政権党」などと揶揄したりもした。ちょうど東京都議会議員選挙が闘われている最中であり、私は八王子選挙区に派遣されていたが、「どのように中国を批判すれば効果的か」ということを夜を徹して仲間と語り合い、宣伝チラシをつくったものである。何か月かして、欧米がまだ経済制裁を続行しているなかで日本政府がいち早くそこから脱落したが、その弱腰をきびしく追及したのも日本共産党であった。

その当時、六〇年代に起こった中国共産党の日本共産党への内部干渉の影響で、両党の関係は断絶していた。その後、両党関係が正常化したことで、もう中国を批判することはできないだろうという観測も流れた。しかし日本共産党は、関係が回復したからといって重大な人権侵害を許すわけにはいかないとして、天安門事件の一〇周年（一九九九年）に際しても批判論文を出すほどであった。

日本で共産主義の「体制」が出来るときは、既存の社会主義国とは別のものになる。日本共産党の批判の鋭さは、そう思わせるに十分であった。

中国の「社会主義」に対する態度の転換

けれども、詳細は書かないが、二一世紀になるのを前後して、共産党は中国の人権問題への批判をしなくなる。天安門事件二〇周年（二〇〇九年）では、一〇年前とは異なり、「しんぶん赤旗」に一行の批判も論評も掲載されなかった。ソ連のことは「社会主義でなかった」と言い続けながら、中国については「社会主義をめざす国」と肯定的に認定し、積極的に交流を進める。二〇〇六年に成立した北朝鮮人権法に対しては、北朝鮮の人権問題は国内問題だとして反対することになる。この問題での意思決定過程から私は組織的に排除された。ソルジェニーツィン一人だけへの人権侵害を「国際問題」として批判していた当時とは様変わりであった。こうしてその直後、根本的な理由は別にあるのだが、共産党の政策委員会に勤務していた私は、小池政策委員長に退職を申し出、受理されることになった。

それでもなお、私はコミュニストであり続けている。それはなぜなのか（なお、共産党の名誉のために言えば、天安門事件三〇周年の昨年、「しんぶん赤旗」はそれを振り返って批判する「主張」〈新聞の「社説」にあたる〉を一〇周年以来二〇年ぶりに掲載したし、中国を「社会主義をめざす国」とする綱領の規定を削除する改定案を、二〇二〇年一月の党大会で採択した）。

そこにあるのが、今回のｉＲＯＮＮＡの特集の共通テーマである共産主義「体制」へのノスタルジーと言えるだろうか。ノスタルジーという言葉の響きがもつ「懐かしさ」とは無縁で、日本語で表現すると「渇望」が近いけれども、共産主義体制が切実に必要とされていることへの思いである。

「我が亡き後に洪水よ来たれ」——資本主義の本性は不変

共産主義が崩壊し、一人勝ちした資本主義の現状をどう評価すべきか。このままの日本が続けば幸せになれると、どれほどの人が感じているのだろう。

現在の日本は、少し古い言葉を使えば、「負け組」には将来への不安が募るだけの世の中である。正規雇用につけず、永遠に「負け組」から抜け出せないと言われるロスジェネ世代（現在、四〇歳前後）を再雇用する試みが話題になっているが、その世代が世に出た二〇〇〇年頃、二五％程度だった非正規雇用は、いまや四割程度にも上昇している。ロスジェネ問題はなくなったのではなく、より普遍的な広がりを持つようになったのである。正規雇用者になれたところで、やれブラック企業だの過労死だの、押しつぶされるような暮らしを余儀なくされている人が少なくない。

その一方で、企業の内部留保は四〇〇兆円を超え、この一〇年で三倍以上になっている。一昨年はじめ、国際ＮＧＯ「オックスファム」が公表した報告書も話題をさらった。世界で一年間に生み出された富（保有資産の増加分）のうち八二％を、上位一％の富裕層が独占しており、下から半分（三七億人）の貧困層は財産が増えなかったとするものだった。昨年はじめの同ＮＧＯの報告書では、世界で最も裕福な二六人が、世界人口のうち所得の低い半数に当たる三八億人の総資産と同額の富を握っているとのことであった。「負け組」の犠牲で「勝ち組」が肥え太っていく。「勝ち組」には笑いの止まらない世界が広がっているわけだ。

それなのに、肥え太っていく企業や富裕層に対して厳しく向き合い、自分の利益だけでなく社会全体のことを考えて行動せよと迫る仕組みがない。それが世界規模で顕著にあらわれているのが気候変動の問題だ。科学の見地からは二酸化炭素の排出量を激減させなければ地球の未来さえ危ないことが明確になっているのに、資本主義の中核に存在する巨大企業は、いまだに石炭火力発電に頼り、科学よりも目の前の自己の利益を優先させ、世界を次第に破滅的危機へと導いているのである。

「我が亡き後に洪水よ来たれ」――。マルクスはフランス王ルイ一五世の愛人であったポンパドゥール侯爵夫人のものとされるこの言葉を『資本論』で引用し、資本の醜い本性を暴いた。ルイ一五世の治世から二五〇年経っても、資本の本性は変わらないままなのだ。

ＩＬＯが創設され八時間労働が定着した理由

その資本の本性が、歴史上一度だけ挑戦を受け、醜さを覆い隠したことがある。それがロシア革命であり、共産主義「体制」の出現であった。

例えば、現代に生きる我々が普通に享受しているものとして、八時間労働制がある（日本では制度が脅かされているが）。これは、マルクスらが一八六六年に創設した国際労働者協会が呼びかけた課題であり、それを受けてアメリカの労働組合が二〇年後の八六年五月一日、全国的なゼネストを行って要求し、その後、五月一日がメーデーとされることになった。しかし、どの国の資本も、こうして労働者がゼネストをして要求しても、自己の利益を優先させて応じることはなかったのだ。

そこに変化が生まれたのが、今からちょうど一〇〇年前の一九一九年、第一次大戦後のベルサイユ平和会議において国際労働機関（ＩＬＯ）が創設されたことだ。ＩＬＯが創設後最初につくったのが、一日の労働時間を八時間、週の労働時間を四八時間に制限する条約であり、その後、この制度が世界に広がっていくことになる。こうした条約の採択にあたり、ＩＬＯの総会では一国が四票を投じるのであるが、そのうちの一票は労働者代表に与えられることになっている（二票は政府、残り一票は企業）。最近、国際条約の策定にあたりＮＧＯが役割を果たす事例が増えているが、ＩＬＯはその先駆けであり、今でももっとも先進的な仕組みとなっている。

当事者が語るＩＬＯとロシア革命

なぜそんな革命的な変化が生まれたのかといえば、ロシア革命があったからなのである。その秘密をＩＬＯ関係者と日本の高級官僚に語っていただこう。

ＩＬＯに関する概説書として二〇世紀を通じて親しまれたのが、一九六二年刊行の『I.L.O. 国際労働機関』という本である。その著者の一人である労働省（当時）の審議官で、ＩＬＯ総会の日本政府代表を務めたこともある飼手真吾氏は次のように述べている。

「（ベルサイユ）平和会議に臨んだ列国の政治家をして、平和条約において労働問題につきなんらかの措置を講ぜざるをえないと考えせしめるに至った決定的要因は、ロシア革命とその影響であった」（日本労働協会『I.L.O. 国際労働機関』改訂版、一九六二年）

飼手氏は、この著作で以上のことを書いた際、ILOの第四代事務局長であったエドワード・J・フィーランのILO創設三〇周年記念論文を引用している。その記念論文は以下のようなものであった。

「ロシアのボルシェヴィキ革命に引続いて、ハンガリーではベラ・クンの支配が起った。イギリスでは職工代表運動が多数の有力な労働組合の団結に穴をあけその合法的な幹部達の権威を覆えした。フランスとイタリーの労働組合運動は益々過激に走る兆候を示した。……

平和条約の中で労働問題に顕著な地位を与えようという決定は、本質的にいえば、この緊急情勢の反映であった。平和会議は、条約前文の抽象論や、提議された機構の細目等については余り懸念することなしに労働委員会の提案を受諾したのである。こういう事情でなかったならば、おそらくは、機構の細目における比較的大胆な革新――例えば、国際労働会議において非政府代表者にも政府代表者と同等の投票権や資格を与えるという条項の如き――は、受諾し難いものと考えられたであろう」（「ILOの平和への貢献」『ILO時報』五〇年一月号　原典はINTERNATIONAL LABOUR REVIEW,Jun.1949）

ロシア革命がどのように影響を与えたのか

ＩＬＯの当事者自身が、ＩＬＯの創設はロシア革命の影響だと述べているわけだ。それがなければ、労働者代表にも投票権を与えるような大胆な革新はなかっただろうと認めているわけだ。

これは当時の情勢を見るとよく理解できる。一九一七年一〇月に革命を成功させたロシア新政権はただちに、一日の労働時間を八時間とする布告を発表した。このなかで、「労働時間は『一昼夜に八時間および一週に四八時間を超えてはならない』ことが確定された。……同布告によって休息および食事のために労働日の義務的な中断が定められ、休日と祭日が決定され、時間外労働の使用は厳格な枠によって制限された。女子および未成年者の労働に対しては特別な保護が規定され」（『ソヴェト労働法　上巻』巌松堂書店、一九五四年）たという。

その半世紀前から、各国の労働者は一日八時間労働を求めてきた。それに対して各国の資本は耳を傾けず、労働者を酷使してきた。政府も労働者に手を差し伸べなかった。ところが、社会主義を掲げて誕生したロシアで、一挙に八時間労働が実現してしまう。

各国政府の驚きはいかばかりだっただろうか。当時、各国にも強力な労働運動が存在し、共産党を名乗る党もあった。そういう勢力が、ロシア革命の成功を受けて八時間労働が夢物語ではなくリアルなものであることを実感し、フィーランが書いているように各国で革命をめざした運動を活発化させるのである。それが国民の支持を受けていた。

みずから八時間労働を採用することを宣言しないと革命が起きてしまうかもしれない――。そういう恐怖感のなかで、ロシアに続いて一七年中にフィンランドが、翌一八年にはドイツなど五か国が、一九年にはフランスなど八か国が八時間労働制に踏み切ったとされる。ILOの八時間労働条約も、そのような動きのなかでのできごとであった。

ここには、資本の横暴がどのような場合に抑えられるのかということについて、生きた事例が存在しているように思える。いまの世界に求められているのも、資本の横暴を許したままにしていては、国民の暮らしが脅かされるに止まらず、資本が存立している社会、地球さえ脅かされるということへの自覚である。もし、資本がそれに無自覚なままで居続けるなら、二度目のロシア革命が現代において再現される必要があるのだ。

自由権と社会権が高い水準で実現する社会

ただしかし、二度目のロシア革命は、同じことの繰り返しであってはならない。新しく出来る「体制」は、これまで理解されてきた共産主義体制とは、二つの点で異なるものであるべきだろう。

一つは、すでに述べたことだが、それが共産主義体制かどうかを判断する基準は、国民の自由権と社会権がともに高い水準で実現しているかどうかである。その実現を目標に据えるべきである。

ここには二種類の含意がある。まず、自由権さえ不十分な国を共産主義とみなすなど、かつての愚は二度と犯してはならないということだ。同時に、社会権の実現のために必要だからといって、生産手段の社会化を社会主義の「目標」として位置づけることはしないということだ。

これまで、共産主義運動のなかでは、生産手段（工場など）が資本家や大株主などにより私的に所有されていることが、社会の利益よりも私的な利益が優先される原因になっているとして、それを社会のものにすることが目標とされてきた。ロシア革命後に実施された国有化が破綻したことをふまえ、働く労働者の共有にするなどいろいろな模索があったが、社会化の進展具合を共産主義実現の進展具合に重ねる見方は変わらなかった。

しかし、この問題で一番大事なことは、国民の社会権が高い水準で実現することである。生産手段の社会化は必要なことではあるかもしれないが、それは「手段」に過ぎない。手段に熱中して目標を脇に置いてしまっては、生産手段が社会化されても国民の権利は保障されなかった共産主義体制の誤りを繰り返すことになる。中国企業で世界にもっとも影響力のあるファーウェイが形式的には民間企業であることを見ても、社会的所有か私的所有かで社会への影響が違うとする議論のむなしさを感じる。自由権と社会権が相対的に高いけれども生産手段の社会的所有はされていない社会と、自由権と社会権が相対的に低いけれども生産手段の社会的所有はされている社会と、どちらが望むべき社会かは明らかではないか。

共産主義ではなくコミューンである

もう一つは、その新しい体制をあらわす言葉だ。私はそれを、「共産主義体制」ではなく、「コミューン」と呼びたい。

共産主義（コミュニズム）の語源はコミューンである。英語のコモン（common）にあたるが、もともとはフランス語で、「共通」「共同」「共有」などを意味する。そこから転じて、中世ヨーロッパでは、領主から住民による自治を許された都市を指していた。

つまり、共産主義を生み出したヨーロッパの人びとが共産主義という言葉からイメージするものは、日本人がイメージするものとは根本的に異なっているのだ。現在の世界でコミュニズムという言葉を聞く欧米の人びとは、資本の横暴に対して自治を許された住民が共同して立ち向かい、社会を支え合うことをイメージするのではないか。そうでなければ、あのアメリカにおける若者を対象にした世論調査で、「社会主義に好意的」と答えた人が五一％にのぼり、「資本主義に好意的」の四五％を上回った事実を説明できない。アメリカのコロンビア大学が、アメリカ、カナダ、イギリスなどの大学のシラバスをチェックし、使われているテキストを自然科学も人文科学も社会科学もあわせて調べたところ、九三万件中の第三位がマルクスの『共産党宣言』で、『資本論』も四四位に入ったそうである。

他方、日本人の多くは、共産主義と聞いて、「財産の共有」を思い浮かべる。日本のコミュニストにしても、多くが「生産手段の共有」をあらわす言葉だと信じている。そして、生産手段の社会化の形態や度合いの議論に集中してしまう。しかし、この言葉を生み出した欧米の人びとは、いまの資本主義では解決できない自治、共同、共存などが実現する社会を思い浮かべる。

人が支え合う共同体を実現する

これはもう、言葉の問題ではない。求められる体制をどういうものとして構想するのかという問題だ。

だから、新しい社会はコミューンであり、それを実現する革命はコミューン革命である。ただ、外来語を使わないで中身を表現するとすれば、新しい社会は「共同社会」とも呼べる。ただ、コミューンの経験のない日本人には「共同社会」と言ってもイメージできないだろうから、それを「支え合う社会」と呼んでもいい。まさに、人が支え合うコミューン＝共同体を実現することだ。

この社会にどんなに貧困と格差が広がっても「我、関せず」という富裕層や大資本に対しては、「社会を支える側に立て」と迫っていく国家権力が不可欠だ。どんなに温暖化が進んでも「石炭火力は必要です」という企業に対しては、「目先の利益だけでなく、人類の未来のことも考えよ。地球を支え合う思想を持て」と強制する権力が必要なのだ。

それが「支え合う社会」である。ノスタルジーとしてではなく、現実に不可欠なものなのである。私が共産党の政策委員会に在籍していた頃、選挙などで問い合わせしてくる共産党の支部長なども、「共産主義は怖い体制だ」と述べるほどであり、「共産主義体制」なるものは、いまや日本のコミュニストでも実現を希望していない。しかし、めざすのが「支え合う社会」なら、アメリカで社会主義を望む人ほどは日本にも支持者が出て来るのではないだろうか。

3 北朝鮮の核・ミサイル問題を解決する「最適解」は何か

（二〇一七年四月一八日から掲載）

北朝鮮情勢が風雲急を告げている。真剣な対策が必要だ。軍事対応と外交努力をどう適切に結合させればいいのか、その「最適解」を見つけだすことが決定的に重要だと考える。それはどんなものだろうか。

北朝鮮は軍事対応にも外交対応にも応じなかった相手だ

軍事対応だけでも、あるいは逆に外交努力だけでも、北朝鮮の核・ミサイル問題には対応できない。一九九〇年代前半の朝鮮半島第一次核危機。クリントン政権が軍事対応を志向したが、その道を進めば一〇〇万人以上の死者が出るとの試算も出され、当時の韓国金泳三《キムヨンサム》政権が断固として反対したこともあって、軍事対応には至らなかった。あとで論じるように、軍事対応がいまでも同じ問題を引き起こすという構図は変わっていない。

この危機を乗り越えてつくられた一九九四年のいわゆる「米朝枠組み」合意により、北朝鮮は核兵器を最終的には放棄することを約束した。その見返りに北朝鮮に対して軽水炉二基を供与するとともに、それが完成するまでの間、毎年五〇万トンの重油を供与することになり、日本も軽水炉建設費の三〇％を負担した。外交努力の成果だと見られたが、結局、北朝鮮が秘密裏に核開発を続行していたことが明るみになり、ＩＡＥＡの査察を拒否するわ、ＮＰＴからの離脱も宣言するわで、外交努力は見事に破綻したのである。「外交努力だけでなんとかなる」というならば、この時の失敗の教訓を徹底的にくみつくした上で、「このやり方ならば」というものを説得的に提示しなければならないが、そういうものにはまだお目にかかっていない。

それに続くブッシュ大統領の時代、アメリカはイラク戦争に突入し、小泉首相は「北朝鮮が攻めてきたときはアメリカに頼る必要があるのだから」という理由で、その戦争を支持した。今回、トランプ政権のシリア爆撃を「理解」した安倍首相につながってくるが、金正日《キムジョンイル》は、化学兵器の保有をちらつかせるような甘い対応では体制を打倒されるということをイラク戦争の教訓だと捉え、本気で核保有国になる決意を固めたとされる。シリア爆撃を「牽制」とする見方は、北朝鮮には通用しないだろう。

オバマ大統領の時代、アメリカは「戦略的忍耐」といって、北朝鮮が核放棄するまでは相手にしないという態度をとった。軍事対応は行わず、外交努力もしないという新たな対応だったが、結局その期間、北朝鮮の核・ミサイル開発は加速した。

要するに、これまで世界がどういう対応をしようとも、北朝鮮は核・ミサイル開発をやめなかったということだ。軍事対応されるかもしれないという恐怖感があったとしても、何らかの経済的利益を得られるかもしれないという期待感があったとしても、そういうものには目を向けることなく、まさに自分たちも「戦略的忍耐」を堅持して、ただひたすら核・ミサイル開発を完遂するのが体制維持に決定的だと考え、邁進しているのが、現在の北朝鮮だということである。

そういう国とどう向き合うのかという問題に我々は直面している。単純な結論で済ませられるわけはない。

日本とアメリカの利害は一致もあれば決定的な違いもある

この問題を考える上でもう一つ大切なことは、アメリカ抜きで解決することはできない問題であると同時に、日本独自の立場も貫かなければならないということである。日米の利害は一致しているように見えて、異なる部分もある。

北朝鮮の核・ミサイル開発を阻止するという目標では日米は共通している。情報交換その他、緊密な日米連携が必要であることは論を俟たない。

しかし、決定的に違うのは、もし戦争になるようなことがあれば、戦場になるのは日本（と韓国）だということである。アメリカに届くミサイルが完成しているわけではないので、米本土は戦場にならないということである。

アメリカのなかで先制攻撃がオプションの一つとして浮上しているのは、そうなる前に何らかの対処が必要だと考えられているからであって、主にアメリカの国益を最優先させる立場からである。九〇年代前半の核危機では一〇〇万の死者というシナリオを前に冷静になれたが、トランプ政権下では、たとえ軍事攻撃をしたとしても、北朝鮮は体制維持を優先させようとするので、体制崩壊につながるような全面戦争に北は踏み切らないという楽観的な考え方も生まれていると聞く。

けれども、それはあくまで希望的観測である。北朝鮮が体制維持を最優先させるのは間違いないが、アメリカに一方的に攻撃され、反撃もできないとなれば、それこそそんな金正恩《キムジョンウン》体制を維持する求心力は失われるだろう。体制維持のために反撃に出てくるシナリオだってあり得るということだ。「国体護持」の保証を得るため、どんなに被害が拡大しても戦争をやめようとしなかった日本の過去のことを考えれば、こちらのほうが現実味があるかもしれない。

そうなれば、アメリカの先制攻撃を支持し、発進基地を提供する日本は間違いなく標的となる。北朝鮮のミサイルの精度が高まっていることは日本政府も認めていることであって、日本に到達する前に落下したり、上空を通過していくということにはならないだろう。

要するに、日本としては、自国が戦場になることは避けるという目標を持つことが大切だということだ。アメリカがお気軽な先制攻撃のシナリオを持つのも、米本土は戦場にならないという安心感が生みだすものであって、自国を戦場にしないと考えて行動するのは、どの国であれ決して身勝手な立場ではない。お互いの異なる立場をぶつけ合って、対応を決めていく必要があるということだ。

軍事的選択肢は維持するが外交努力は放棄しない

一方、軍事的対応は絶対にとらないという選択肢も、あり得ないだろう。その選択肢は、極端なことを言えば、北朝鮮からミサイルが撃ち込まれるようなことがあっても、こちらは我慢するのだ、被害を受けても外交努力だけに徹するのだ、と言っているように聞こえる。

一九五五年一月、アメリカのアチソン国務長官が、アメリカの防衛ラインは日本列島からフィリピンまでだと演説したため、金日成《キムイルソン》が韓国を攻撃しても反撃されないのだと考え、朝鮮戦争が勃発したというのが国際政治学では通説となっている。その教訓をふまえれば、現在、北朝鮮が核・ミサイルで先制攻撃してくれれば、それ相応の反撃をするという意図は、北朝鮮に伝えていく必要がある。

具体的に言えば、ミサイルが日本に落ちてくるなら、現存のミサイル防衛システムを発動し、迎撃するのも当然だろう。一〇年ほど前までは、北朝鮮はミサイルを「衛星」だと強弁しており、撃ち落とされるなら反撃すると公言していた。本当にそれが「衛星」だったなら、北朝鮮の反撃にはそれなりの正当性があったと言える。しかし現在、北朝鮮は核・ミサイルの開発だという意図を隠していないわけだから、落ちてくるミサイルを迎撃するのは、国際法上も許される自衛措置である。

他方で、日本あるいは日米がやろうとする軍事対応が、北朝鮮に核・ミサイル開発をやめさせるための外交努力と矛盾するものであってはならない。最終的にこれをやめさせようとすれば、外交の力に頼るしかないからだ。

この点では、こちら側が先制攻撃するというのは、最悪のシナリオである。北朝鮮にミサイルや化学兵器を使用させる口実を与えてはならないのだ。

それと表裏一体のことだが、北朝鮮側の先制攻撃がないかぎり、こちら側は武力の行使をしないというメッセージも明確に伝えるべきだ。さらに、その武力行使の規模と態様も、もっぱら自衛措置の範囲に止まることを明確に北朝鮮に伝えるべきだ。ミサイルが撃ち込まれるなら、そのミサイル発射基地は叩くという程度のものにするということである。

北朝鮮は、イラクのフセイン政権の末路その他、アメリカが実際にやってきたことを見て、武力を行使される時は体制が転覆される時だと感じ、必死になって核・ミサイル開発に狂奔している。だからこそ、多少のメッセージで真意を伝えるのは簡単ではなかろうが、核・ミサイル開発を止めさせようとすれば、そこに真剣になる必要があるのだ。

核・ミサイルを開発し、使用するようなことがあれば、北朝鮮の体制は維持されない可能性がある。しかし、その開発を中断し、核とミサイルを放棄するなら、体制の維持につながる報償は与える。与えることになる報償の内容は、外交関係者が知恵を出していかなければならないが、軍事対応と外交努力の結合というのはそういうことだ。

現状での「最適解」は軍事と外交の適切な結合しかない

こちら側の武力行使が、先制攻撃されたときの自衛に限られるとなれば、その最初のミサイルが着弾することを前提としており、日本が被害を受けることになるではないかという批判が寄せられよう。しかし、それ以外の手段は想像できないほどの大規模な厄災を招くのであって、自衛に限るやり方こそが被害を最小化する考え方である。

例えば、北朝鮮のミサイル基地を一挙に叩けばいいのだと、威勢のいいことを言う人もいる。けれども、テレビに映るミサイルの発射場面やアメリカの軍事衛星の写真を見ると、基地がどこにあるか分かっているような錯覚におちいるが、発射台がどこにあるのかすべて分かっているわけではない。たとえ分かったとしても、移動式の場合は、予想を超えたところから発射されることになる。しかも、すべての基地を一挙に完全に叩くことができなければ、残りのミサイルが日本と韓国に（アメリカではなく）飛んでくることになるのである。

北朝鮮は、ノドン二〇〇発とスカッドER一〇〇発、計三〇〇発程度のミサイルを保有していると考えられている。最初の一撃で半分を破壊したとしても、なお一五〇発のミサイルが残るのだ。北朝鮮がその報復として、化学兵器を搭載したミサイルを東京に向けてきたらどうするのかという想定抜きに、敵基地の先制攻撃論を語ってはならない。一方、自衛の場合に限って対応する場合は、発射した場所が特定されるのであって、破壊できる確実性もはるかに増すことになる。

いや、敵基地を先制攻撃するというのは、あくまで威嚇であって、抑止するためだという人もいるだろう。確かに、怖いから手を出さないでおこうと北朝鮮が認識すれば、暴発はしないかもしれない。しかしこの間、北朝鮮はそういうことにお構いなく、核・ミサイル開発を加速させてきたではないか。抑止力というのは、結局、相手の意思をくじこうとするものだから、くじけない相手には効かないのである。

結論は明白だ。軍事と外交の適切な結合しかない。北朝鮮が先制攻撃するなら、こちらは自衛の範囲で対応することを明確にし、その意図を北朝鮮に伝える。同時に、北朝鮮が核・ミサイル開発を放棄するなら、体制を転覆するようなことはしないという立場で、あらゆる外交努力を強める。簡単なことではないが、現状での「最適解」はそこにしか存在しないのではなかろうか。

中国を本気にさせるために

なお最後に、中国が果たすべき役割について触れておく。日本やアメリカは、中国に役割を果たさせるため何をすべきかという問題も含めてだ。

北朝鮮の核・ミサイル開発をやめさせる上で、中国の役割が大きいと言われる。いくら国連が経済制裁を決めても、北朝鮮の輸出入の相手国がほとんど中国だけという現状では、中国が本気にならなければ効果は薄いものになるのは事実だろう。

ただ、中国に本格的に経済制裁をやれというためには、中国が被る損失を誰がかぶるのかという問題を避けては通れない。日本やアメリカは、自分でそこをかぶる覚悟があるのかということだ。

中国は現在、本来は受け入れるべき政治難民にあたる脱北者さえ、捕まえては北朝鮮に戻しており、国際社会から批判を受けている。経済制裁が効いてくることになると、経済的に困窮した大量の難民が中国に逃れでてくるのは目に見えている。その対策を中国任せにするという態度では、中国を本気にさせることはできない。日本やアメリカは、そこまで考え抜いて、経済制裁の実施を提唱すべきだろう。自分たちも費用を分担したり、難民を受け入れるのかということだ。

同時に、中国を本気にさせようとしたら、現在のような先制攻撃路線は百害あって一利なしだ。中国は、制裁が北朝鮮の体制崩壊につながることを心配していると言われるが、何が一番の心配事かといえば、在韓米軍の緩衝地帯がなくなることである。朝鮮半島が統一されれば、米軍の駐留を受け入れる国家が目の前に立ち現れることなのだ。軍事的な選択肢で北朝鮮が崩壊するようなことになれば、それを遂行した軍隊がそのまま占領し、継続して駐留するようになるであろうことは、容易に推測できることである。

これを逆の角度から見ると、中国を本気にさせることができるとすれば、経済制裁の結果として北朝鮮が崩壊するようなことがあっても、その際は韓国から米軍が撤退すると分かった時だけだろう。アメリカにその気はあるのだろうか。中国を本気にさせるというが、問われているのは、アメリカの本気度のように思える。

＊北朝鮮有事の「最悪シナリオ」に日本が取るべき選択肢は一つしかない

（前出の論考の要約版として二〇一七年四月二一日に産経新聞本紙掲載）

北朝鮮情勢が風雲急を告げている。真剣な対策が必要だ。軍事対応と外交努力をどう適切に結合させればいいのか、その「最適解」を見つけだすことが決定的に重要だと考える。軍事対応だけでも、あるいは逆に外交努力だけでも、北朝鮮の核問題には対応できない。歴史的な経緯を見れば、それは明白だ。

いわゆる一九九〇年代前半の朝鮮半島第一次核危機。クリントン政権が軍事対応を志向したが、その道を進めば一〇〇万人以上の死者が出るとの試算も出され、当時の韓国・金泳三政権が断固として反対したこともあって、軍事対応には至らなかった。

一方、その核危機がカーター米元大統領の訪朝によって回避され、北朝鮮は九四年のいわゆる「米朝枠組み合意」により、核兵器を最終的には放棄することを約束した。その見返りに北朝鮮に対して軽水炉二基を供与するとともに、それが完成するまでの間、毎年五〇万トンの重油を供与することになり、日本も軽水炉建設費の三〇％を負担した。

当初は「外交努力」の成果だとみられたが、北朝鮮は秘密裏に核開発を続行しており、ついには国際原子力機関（ＩＡＥＡ）の査察を拒否し、核拡散防止条約（ＮＰＴ）からの離脱も宣言、外交努力は見事に破綻したのである。

要するに、これまで世界がどういう対応をしようとも、北朝鮮は核、ミサイル開発をやめなかったということだ。では、そういう国とどう向き合えばいいのか。われわれは今まさにこの問題に直面している。

日本が戦場になる

この問題を考える上で忘れてはならないのは、日本独自の立場も貫かなければならないということである。もし、北朝鮮有事が起これば、戦場になるのは日本と韓国だということである。

米国が「対北朝鮮先制攻撃」のオプションを持つのも、米本土は戦場にならないという安心感が生み出すものであって、自国を戦場にしないと考えて行動するのは、どの国であれ、決して身勝手な立場ではない。だとすれば、日本も有事の際のリスクを米側と本気で議論し、対応を決める必要がある。

その一方で、日本が軍事的対応は絶対にとらないという選択肢も、有り得ないだろう。その選択肢は極論すれば、北朝鮮からミサイルが撃ち込まれるようなことがあっても「日本は我慢する」と言っているようなものである。

もし北朝鮮が核やミサイルで先制攻撃してくれば、それ相応の「反撃」をするという意図は北朝鮮側に伝えていく必要がある。具体的に言えば、現存のミサイル防衛システムを発動するということだ。今の北朝鮮は核ミサイルの開発だという意図を隠していないわけだから、落ちてくるミサイルを迎撃するのは、国際法上許される自衛措置である。

反撃は自衛の範囲で

ただ、日本あるいは日米がやろうとする軍事対応が、北朝鮮に核、ミサイル開発をやめさせるための外交努力と矛盾するものであってはならない。北朝鮮が先制攻撃をしない限り、こちら側も武力行使はしない。仮に北朝鮮からミサイルが撃ち込まれた場合は、その発射基地を限定してたたくという程度のものにするということである。

敵基地を攻撃するというのは、あくまで威嚇であって、抑止するためだという人もいるだろう。ただ、抑止力というのは、相手の意思をくじこうとするものであり、北朝鮮のような「くじけない相手」には効かない可能性だってある。

だとすれば、結論は明白だ。北朝鮮が先制攻撃を仕掛けてくれれば、こちらは自衛の範囲で対応することを明確にし、その意図を北朝鮮に伝える。同時に、北朝鮮が核やミサイル開発を放棄するなら、体制を転覆するようなことはしないという立場で、あらゆる外交努力を強める。簡単なことではないが、現状の「最適解」はそこにしかないのではなかろうか。

あとがき

左翼が掲げる理想は純粋で美しい。他国からミサイルを撃ち込まれるようなことがあっても日本は武力を行使してはならない。戦争と植民地支配で多大な被害を与えた中国、北朝鮮には相手が納得するまで謝罪し、賠償もしなければならない。貧困層の負担が増えるような経済政策は微塵も許してはならない――等々。

ある市民が、あるいは市民運動が、それらの理想の実現に向かって邁進するのは当然だ。目の前に異論が立ちはだかるなら叩き潰せばよい。それが市民運動というものだし、理想を曲げないことは、日本が戦争の道に進んだり、過去の戦争を正当化したり、弱者を見捨てるようなやり方に警鐘をならし、人々がめざすべき地点を照らしてくれる役割がある。理想をともにする人々の結束も生み出してくれる。

しかし、政党の場合も、それと同じでいいのだろうか。市民の、あるいは市民運動の主張を代弁することの大切さを疑うわけではないが、それにとどまっていていいのだろうか。本書は、私のそういう葛藤から生まれた模索と実践をもとにしている。

左翼にも防衛政策は不可避である

私がそんなことを考えたのは、若い頃からの経験が生み出したものである。一九歳で日本共産党に入党し、ずっと真面目に頑張ってきた経験である。

現在、日本の政治戦線において「最左翼」と位置付けられる共産党であるが、私が若い頃はそうでもなかった。例えば、一九七〇年代に私が共産党に接近した理由の一つは、共産党が防衛政策を持っていたことにある。

当時、左翼を代表していると見られていたのは、現在の社民党の前身である日本社会党であった。その社会党は、護憲政党を自認しており、憲法九条を断固として擁護する立場から、政策としては「非武装・中立」を掲げていた。武装しないことが政策であるから、自衛隊は廃止するのが当然である。日本が侵略されても武器をもって抵抗することはしない。防衛は不要だということだから、言葉の本来の意味での「防衛政策」は打ち出しようがなかったといえる。

これに対して共産党が掲げていたのは、「中立・自衛」政策であった。「自衛」なのだから、日本が攻められる場合があることを想定しており、武器を持って戦う立場である。社会党との連立政権においては(それが誕生すればだが)、社会党主導で護憲の政権にならざるを得ず、自衛隊を解消することになるが、その先の政権では国民合意のもとに憲法を改定し、自衛のための実力組織をつくることを展望していた。

社会党からは、軍事力の必要性を認める共産党に向かって、軍備拡張を進める自民党を助けるものだとの批判が寄せられる。だから、職場や学園では社会党と共産党の論争が巻き起こっていたが、私は、戦争が絶えない世の中で非武装を主張するのは非現実的だと考えたし、共産党のほうに信頼を感じることになる。この当時、共産党は防衛政策で自民党と同じだと批判されていたのだから、いかなる意味でも「最左翼」ではなかった。

政権をとれば過去の条約にも財政にも縛られる

一九九〇年代半ば、私は共産党中央委員会の政策委員会（他党の政審にあたる）で仕事をすることになる。安全保障や外交全般を担当した。ちょうど戦後五〇年を迎える頃で、慰安婦問題その他の戦後補償問題が浮上しており、党としての提言を出すことになった。私の初仕事はその起案であった。

当時、九三年に自民党政権下で慰安婦問題での河野官房長官談話が出され、直後の非自民政権の細川首相が侵略や植民地支配の非を認め、九五年には自社さ連立の村山首相が侵略と植民地支配のお詫びと反省を表明する談話を出すなど、この問題は大きな焦点となっていた。

私は、そうした流れに沿って、起案する談話の柱は戦後補償問題で市民団体や被害国の主張をどう受け入れるのかになると考えていた。

当時、共産党の最高責任者は宮本顕治（故人）という人で、戦前に日本の侵略を批判して投獄された幹部である。侵略と植民地支配への宮本氏の批判の鋭さは、他の党を寄せ付けないものだった。その宮本氏から、戦後補償問題の起案にあたって二つの点が大事であるとの指示が、政策委員会の責任者を通じて寄せられたのだが、それは私を驚かせるのに十分なものであった。

一つは、市民団体がいろいろ補償の要求を出しているが、そのすべてが日本の財政からして受け入れ可能なのか、共産党が政権をとった時のことを想定し、よく考えるようにということだった。共産党が政権をとれば、日本国民の暮らしと福祉の充実のために、かなりの予算を振り向けなければならない。日本がアジアに与えた被害が甚大なだけに、相手の要求をすべて受け入れれば途方もない額になることが予想されたが、そこだけを基準にしては国民の期待に応える政権をつくれないということであったのだろう。自民党も、思惑は別のところにあったのだが、すべての要求に応えれば数十兆円の予算が必要になることを、個人に対する補償を支払わないことの根拠に挙げていた。

もう一つは、共産党が政権をとっても、国家と国家の関係を律するのは、すでに存在している条約がベースになるので、それを超えてはいけないということだった。例えば韓国との間では、一九六〇年に結ばれた日韓基本条約と請求権協定が存在しており、それを基本にしなさいという意味だったと思う。当時の左翼のなかでは、日韓基本条約が植民地支配の違法性を認めず、従って請求権協定が賠償を支払うものにならなかったことへの批判が強かったが、それに追従することに釘を刺したのである。

宮本氏の指示は、戦前、共産党だけが侵略と植民地支配に反対した過去への誇りがあるからこそ言えるものであった。たとえ日韓基本条約等はそのままであっても、共産党の政権になれば、侵略と植民地支配を容認するとは見られないという自負があるから、そう言えるのである。けれども一方で、補償は現実の予算の範囲内で考えるという点でも、現行の条約を尊重するという点でも、政権政党としての自民党のアプローチと重なるところがあり、ここでも共産党は「最左翼」ではなかったのである。

政党というものの独特の立ち位置

共産党の政策委員会にいる頃、他にも同じような経験をたくさんすることになる。「異論の共存」という考え方は、こうした経験を通して私のなかに棲みついてしまった。左翼政党は、市民や市民運動の立場を尊重しつつも、それと同じであってはならず、右寄りの人や中道的な立場の人などの思いをも受け止め、それを政策のなかに取り入れなければならないと考えるに至ったのである。

これは一つには、政党は市民運動と異なり、国民多数の支持を得なければならないという事情からくるものだ。国民のなかには多様な考えが存在しており、左翼的な立場に固執していると、多数を形成できない問題が少なくない。例えば、尖閣問題が平和的に解決することを望む人は多数だろうけれど、中国が奪いにきた時も日本は武力で反撃すべきでないということになると、市民運動ならば最後まで理想を貫いた誇りを持てるかもしれないが、政党の場合は世論の批判が渦巻いて壊滅的な打撃を受けることになる。

もう一つは、国家というものには、多様な考え方の人が一緒に暮らす共同体として、特定の立場に偏らないある共通の規範が求められる場合があることだ。選挙で選ばれた政府も、全国民の代表であって支持者の代表ではないので、普遍的な立場をとることが求められる。どんな政党の代表であれ首相になれば、かつての安倍晋三氏のように、反対勢力を前にして「こんな人たち」と罵倒してはいけないのである。同じ国民なのだから当然のことだ。

そうはいっても、政党が異論にも配慮して政策をつくるようになると、旧来の左翼支持者からは批判が寄せられることになる。九九年のことだが、当時の共産党責任者だった不破哲三氏が、国旗・国家は法制化すべきだ（ただしそれが日の丸・君が代になることには反対）という主張をした時、左の側から「寝た子を起こすな」などの強い批判が多く寄せられることになる。それに対して、不破氏が、「共産党というのは、右からも左からもバランスよく批判が寄せられる程度がいいのだ」という意味のことを言っておられたのを記憶している。日の丸・君が代問題は、左右の激しい対立のなかにあり、校長先生が自殺するような事件も生み出していたが、不破氏はなんとか共通の規範を打ち立てることにより、そんな状況を克服したかったのだと思う。

右も左も敵と味方を峻別してガチンコ対決

右派・保守派に位置する自民党は、長く政権の座にあったこともあり、異論にも配慮してきた面がある。それが世論の安定的な支持を得る上でも不可欠であったからだ。

自民党にはいくつもの派閥が存在し、いかにもタカ派の集まりと思われるものもあれば、護憲が信条の人が多い派閥もあった。岸信介の評伝を読むと、戦前の日本への郷愁を強く感じさせるが、早野透氏の『田中角栄』（中公新書）には、社会政策を大事にした田中の人物像が描かれている。政権政党であるが故にお金をばら撒けるという面がある一方、「お金は出せない」という現実に縛られることがあるが、たとえば整備新幹線のための予算を計上できず公約に盛り込めない場合も、地方組織には自由に「予算をつけろ」と運動させている。財政に縛られる政権と、何でも自由に要求できる政党の使い分けである。

こうして自民党が右側に立って左側の異論に配慮して活動しているのを見ていたので、共産党は左側に立って同じような試みをしているのではないかと感じていた。選挙で国民多数の支持を得ようとすれば、それが不可欠ではないのか。私が若い頃の実感はそういうものであった。

しかし、二一世紀に入る頃からか、共産党は「最左翼」の位置を貫き始めたようだ。右派や保守派の支持を得ることを意識した政策が影を潜めるようになり、市民運動の代表であることを自負し、左翼としての独自の主張にこだわるようになってきた。

そこには党首の政治姿勢もあると思うが、客観的な要素としては、保守派の変化が強く影響しているように感じる。これまで自民党は、改憲か護憲かをあいまいにすることによって多数の支持をつなぎ止めてきたが、二一世紀に入ると改憲を政策の柱に据えるようになった。最近ではこれまで護憲派として知られていた宏池会までもが、代表の岸田文雄氏の変化に見られるように、改憲の側に移行することになる。とりわけ安倍晋三氏が政権の座について以降、自民党全体が他の分野でも右寄りの姿勢を明白にした上に、党内はもちろん官庁にまで異論を許さない体制を敷いてきた。

市民運動の警戒感はかつてなく高まった。変化した自民党に対抗するに際して、左翼の側から対抗軸を示そうとすると、反対のトーンが強ければ強いほど仲間内から歓迎される。逆に、少しでも右寄りの主張に共感を持っていると感じさせる対応をとると、反発も半端ではない。こうして政治の世界では、右も左も敵と味方を峻別してガチンコ対決するようになり、国民の間でも深刻な分断が広がってきたように思う。

ウィングを中道へ右へと広げていくべきだ

ただ、自民党が異論を排除する志向を強めている現在こそ、排除される人びととの共闘を左翼の側から実現するチャンスではなかろうか。自民党の右寄りに偏った政策は、次第に特定の人びとの支持しか得られなくなることは明白である。その上に、自由な政策論議が途絶えた自民党には、右寄りのアイデンティティを維持してほしい人しかシンパシーを感じなくなっていく。

だからこそ現在、日本の左翼は、これまで自民党の幅広さに共感していた人びとから共感を得るアプローチを模索することが求められる。これらの人は、もともと保守系や中道寄りの人々である。だから、その考えを左翼側に変えようとしたところで、少しも振り向いてくれるようなことはない。大事なことは、そういう人びとの思想、考えの根底にあるものへの共感ではなかろうか。

尖閣諸島をめぐる中国の攻勢を考えると、外交政策だけではなく防衛政策を打ち出すことは不可欠だろう。韓国を植民地支配したことへの責任を感じ続けることも大切だが、だからといって韓国の間違った主張には同調することなく、ちゃんと批判を加える姿も見せるべきだ。経済の分野でも、国民の暮らしを守る政策を打ち出すのは当然であるが、大企業を含む日本経済全体のことにも目を配っていることが伝わるようなアプローチも必要である。自民党がモノトーン政党に堕している現在、左の側こそが政策面でも組織のあり方の面でも多様性を見せていくことが、多様な人びとの共感を集め、左右のゆるやかな結束を生みだし、分断と対立を克服していくことにつながるのではないのか。

政党の話をしているけれども、これは市民の問題でもある。政党が中道や右寄りの考え方にもウィングを広げていくことは、理想にこだわる市民にとってはガマンできないことかもしれない。しかし、政権をとらなければ実現できない理想があるならば、そこに向かって一歩一歩進んでいくやり方を学んでいかなければならない。市民にも覚悟が問われている。

野党共闘を通じて豊かな対案をつくる可能性

二〇一五年、新安保法制反対闘争を通じて、共産党は野党共闘で政権を取りに行くことを明確にした。その結果、今後の日本における政権の対立軸は、自民党と公明党の政権か、共闘を組んだ野党の政権かになっていく（共産党が政権入りできるかは不確かだし、維新が野党の政権共闘を拒否することは確かだが）。他の選択肢はしばらく浮上しないだろう。

立憲民主党の枝野氏は、近著『枝野ビジョン』のなかで、民主党政権の時の失敗を振り返り、自分たちは第二自民党にはならないと明言している。大事な総括である。また、そこで述べられた経済社会政策を見ると、その言葉が真実であることが理解できる。

しかし一方で、野党にとっての不安材料は、安全保障政策をめぐる問題である。自衛隊や日米安保などの基本政策で根本的に異なっていることだ。

立憲民主党の政策を見ると、経済社会の分野とは異なり、安全保障政策ではほとんど自民党と同じである。それが大事だという立場である。辺野古問題で右往左往した民主党鳩山政権の悪夢がつきまとっているのであろう。核兵器禁止条約についても、将来の批准は口にするが、当面は抑止力に頼ることを否定しない点で、自民党と変わらない。

他方で共産党は、あまりにも違いが大きいことから、この問題での独自の政策を留保するとしている。共闘に自分たちの立場（安保と自衛隊の廃止）を持ち込まないということだ。その対応をすることにより、政権入りの障害をクリアーしたいと願っているが、それでも他の野党の理解を得られるかは不透明である。

問題は、その結果として、自民党から野党に政権が移っても、安全保障政策の基本は変わらないことである（集団的自衛権を行使する関連法制は撤回される可能性があるが）。この分野では第二自民党の政策が続くのである。

私は、立憲民主党は、この分野でも第二自民党から抜け出すべきであると考える。しかし、その議論をしようとしても、共産党が自分たちの立場は持ち込まないと明確にしているので、どこからも議論が起きないのが現状である。

共産党はせめて、かつての「中立・自衛」の立場に戻るべきではないか。中立はともかく、「自衛」は大事だということになるなら、立憲民主党との接点も生まれる。自衛とはどういう立場なのか、どこまでが自衛なのか、自民党の安全保障政策は自衛の範囲にとどまっているのか、核兵器は自衛のために必要なのか等々、率直に議論することが可能になる。

そうやって、異論を前提にして議論を闘わせ、一致点と不一致点を明確にすることによって、右寄りに傾斜した自民党とは異なり、豊かな安全保障政策を確立することが可能になるのではないだろうか。そのための議論が起こせれば、一回の選挙では無理であっても、二回、三回と試行錯誤を重ねることで、野党共闘が日本の将来にとって意味のあるものになるのではないか。そこに希望をつないで、あとがきを書き終えたい。

＊本書中「補章　産経新聞デジタルｉＲＯＮＮＡへの投稿から」は、産経新聞デジタル版のオピニオンサイト（ｉＲＯＮＮＡ）に掲載されたもの。その他はすべて書き下ろしです。

［著者について］ **松竹伸幸**（まつたけ・のぶゆき）

1955年長崎県生まれ。ジャーナリスト・編集者、日本平和学会会員（専門は外交・安全保障）、自衛隊を活かす会（代表・柳澤協二）事務局長。一橋大学社会学部卒業。『改憲的護憲論』『〈全条項分析〉日米地位協定の真実』（共に集英社新書）、『9条が世界を変える』『「日本会議」史観の乗り越え方』（共にかもがわ出版）、『反戦の世界史』『「基地国家・日本」の形成と展開』（共に新日本出版社）、『憲法九条の軍事戦略』『集団的自衛権の深層』『対米従属の謎』（いずれも平凡社新書）、『慰安婦問題をこれで終わらせる。』（小学館）など著作多数。

「異論《いろん》の共存《きょうぞん》」戦略《せんりゃく》　分断を対話で乗り越える

2021年10月30日初版

著者　松竹伸幸

発行者　株式会社晶文社

〒101-0051
東京都千代田区神田神保町1-11
電話　03-3518-4940（代表）・4942（編集）
URL http://www.shobunsha.co.jp

印刷・製本　ベクトル印刷株式会社

ISBN978-4-7949-7277-4 Printed in Japan

好評発売中

99%のためのマルクス入門　田上孝一〈犀の教室〉
1対99の格差、ワーキングプア、ブルシット・ジョブ、地球環境破壊……現代社会が直面する難問に対する答えは、マルクスの著書のなかにすでにそのヒントが埋め込まれている。『資本論』『経済学・哲学草稿』『ドイツ・イデオロギー』などの読解を通じて、「現代社会でいますぐ使えるマルクス」を提示する入門書。

きみが死んだあとで　代島治彦
1967年、10・8羽田闘争。同胞・山﨑博昭の死を背負った14人は、その後の時代をどう生きたのか？〈伝説の学生運動〉に関わった若者たちのその後を描いた長編ドキュメンタリー映画『きみが死んだあとで』を書籍化。全共闘世代の証言と、遅れてきた世代の映画監督の個人史が交差する、口承ドキュメンタリー完全版。

街場の日韓論　内田樹 編
K-POPや韓国コスメ、文学作品の翻訳など文化面での交流が活発な一方、ヘイトや嫌韓本が幅をきかせる日韓関係をめぐる言説。「戦後最悪」とも言われるターニングポイントで、もつれた関係を解きほぐす糸口はあるか？　思想、歴史、安全保障、文化などの観点から、11名の執筆者が両国関係の未来を考えるアンソロジー。

むずかしい天皇制　大澤真幸・木村草太
天皇とは何か？　天皇制は何のために存在しているのか？　天皇制こそが、日本人である「われわれ」は何者なのかを理解する上での鍵なのだ。天皇制の過去、現在を論じることを通じて、日本人とは何か、日本社会の特徴はどこにあるのかを探究する刺激的対談。社会学者と憲法学者が、誰もが答えられない天皇制の謎に挑戦する。

自衛隊と憲法　木村草太〈犀の教室〉
自衛隊は憲法に明記すべきなのか？　改憲の是非を論じるためには、憲法の条文やこれまでの議論を正しく理解することが必要だ。憲法と自衛隊の関係について適切に整理しつつ、9条をはじめとする改憲をめぐる過去の議論についてもポイントを解説。残念で不毛な改憲論に終止符を打つ、全国民必携のハンドブック。

学問の自由が危ない　佐藤学・上野千鶴子・内田樹 編
これはもはや学問の自由のみならず、民主主義の危機！菅義偉首相による日本学術会議会員への任命拒否は、学問の自由と独立性を侵害する重大な危機につながる行為。この問題の背景に何があるか？　佐藤学・上野千鶴子・内田樹の編者と多彩な執筆陣が繰り広げる、学問の自由と民主主義をめぐる白熱の論考集。